El Delfín

Literatura

José Cardoso Pires

El Delfín

Traducción
de Javier Casanova

El libro de bolsillo
Literatura
Alianza Editorial

Título original: *O Delfim*

Diseño de cubierta: Alianza Editorial

© José Cardoso pires, 1968
© De la traducción: Javier Casanova, cedida por Editorial Seix-Barral
© Ed. cast.: Alianza Editorial, S. A., Madrid, 1998
    Calle Juan Ignacio Luca de Tena, 15;
    28027 Madrid; teléfono 91 393 88 88
    ISBN: 84-206-3437-9
    Depósito legal: S. 955-1998
    Impreso en Gráficas Varona. Polígono "El Montalvo", Salamanca
    Printed in Spain

*A Francisco Salgado Zenha,
mi amigo*

Aquí estoy. Precisamente en el mismo cuarto donde me instalé, hace un año, en mi primera visita a la aldea y donde, divertido y curioso, fui anotando mis primeras conversaciones con Tomás Manuel da Palma Bravo, el Ingeniero.

Nótese que tengo la mano derecha puesta sobre un libro antiguo –*Monografía del término de Gafeira*–, o sea, que tengo la mano sobre la palabra venerada de cierto abad que, allá por mil setecientos noventa, mil ochocientos uno, descifró el pasado de este territorio. También pienso en él –en todo esto, en la aldea, en los montes que la rodean y en los seres que la habitan y hormiguean allá abajo entre casas, callejuelas y peñascos, a la distancia de un paseo. Soy un visitante andador (y de cuerpo entero, como en la fotografía de un álbum), un Autor apoyado en la lección del maestro. Aguamanil de hierro a la izquierda, mesa de trabajo a la derecha. Al fondo, la puerta con la escopeta y la cartuchera colgadas en la percha. Detalle importante: me dirijo a la ventana de guillotina que da al único café del poblado, al otro lado de la calle, y, más allá, veo la plazuela, la carretera de asfalto y un horizonte de pinos dominado por una corona de nubes: la laguna. Por algún lugar del corredor, la dueña de casa llama a la criadita.

Tenemos, pues, al Autor instalado en una pensión para cazadores. Siente la vida abajo y a su alrededor, sí, puede sentirla, pero ahora se fija sólo, e intencionadamente, en aquel soplo de nubes: la laguna. Desde allí no la ve, lo sabe, porque queda en el valle, más allá de los montes, oculta e indiferente. No obstante aprendió a localizarla por aquella corona derramada sobre los árboles, y dice: allí está, respirando. Después, si quisiera escribir, acariciaría con el dedo la tapa del libro que le acompaña (o una reliquia de madera, o una piedra) y surcaría el polvo con esta palabra: Delfín.

Sería una dedicatoria. Y también un epitafio. Seis letras que, de todas maneras, permanecerían justa y exactamente hasta que el polvo quisiera volverlas a cubrir.

Uno

La Plazuela. (Aquí apareció por primera vez el Ingeniero, anunciado por dos perros.) La Plazuela:

Vista desde la ventana donde me encuentro es una tierra desnuda, toda zanjas y polvo. Demasiado grande para la aldea; realmente, demasiado grande. E inútil, diríase. Así también eso. Inútil, sin sentido, porque raramente se la busca a pesar de estar donde está, al lado del camino y en el centro de la comunidad. Se muestra agresiva como un campo de cardos, domable sólo por el tiempo; y si no pincha, repele, valiéndose de los huecos, de los surcos de las lluvias o de la polvareda de los veranos. Una plazuela, lo que verdaderamente se llama plazuela, tierra golpeada, tiene que ser pisada por algo, pies humanos, tránsito, lo que sea; en cambio ésta, fuera de las horas de misa, solamente la recorre el espectro de un enorme paredón de granito que se levanta detrás de la sacristía. Diariamente, año tras año, siglo tras siglo, esta muralla, apenas sale el sol, envía su sombra a la plazuela, arrastrando, entre otras, la de la iglesia. La envuelve, viaja con ella por el desierto de agujeros y de polvo, cubre el suelo, lo refresca y al mediodía se retira, expulsada por el sol en su cenit. Pero la tarde es suya. Entonces vuelve la invasión de la sombra, aumentando a medida que la luz se debilita. Tan oscura, adviertan, tan cargada a cada hora que pasa, que parece un mensaje anticipado de la noche; o, si prefieren, una insinuación de tinieblas vagando por la muralla en pleno día para hacer la plazuela más solitaria entregándola a los gusanos que la minan.

Así, pues, el enorme paredón más parece un bulto, fantasma familiar, que propiamente un muro. Esto, en cierto sentido. Porque para el que conozca la aldea (consúltese la citada *Monografía del término de Gafeira,* del abad Agustín Saraiva, MDCCCI) allí está la puerta del poblado, el mástil, según él, de unas gloriosas termas romanas mandadas construir por Octavio Teófilo, padre de la patria. Allí se puede leer, en la piedra imperial (y en el grabado que encabeza el libro) la solemne orden grabada a todos los vientos:

ISIDI DOMIN—

M. OCT. LIB THEOPHILVS

La muralla, como lápida de un vasto y destrozado túmulo con veinte siglos de abandono. O sencillamente como cabeza de la plazuela. Y, crucificada en ella y en su leyenda de caracteres ibéricos, digo, lusitanos, la iglesia. Después tenemos hoyos y tierra olvidada hasta la carretera de alquitrán, hay tabernas y comercio soñoliento y, cerrando el diseño una hilera de casas a cada lado, muchas de ellas vacías y todavía con las argollas donde se sujetaba antiguamente a las bestias. Antiguamente, en tiempos más felices.

Antiguamente, cincuenta, sesenta años atrás, el terreno fue ciertamente una plaza de feria, ¿por qué no? Una romería. Una reunión de negociantes de ganado, con arrieros y vendedores de sardina llegados de lejos, de más allá de los mulares. Habría marceadores esquilando al sol y mendigos de llaga y alforja; mesas con dulces; vendedoras de gallinas guardando sus pequeños cestos de huevos, acurrucadas bajo anchas sombrillas (puesto que no había árboles); ni siquiera faltaría un capador de paso montando una yegua guedejuda... Todo esto debidamente enmarcado en una hilera de mulas y jumentos sujetos a las argollas de las paredes, mientras sus dueños se perdían en las tabernas.

Feria y romería. Romería bordada con un friso de animales de carga, un friso de colas meciéndose (como gallardetes al viento), nubes de moscas rodeando grupas lustrosas, y tiendas llenas, tiendas llenas, y –me atrevo a añadir– dinero y vino abundantes aunque fuese la hora de la misa y los campesinos enfrascados en los negocios y en las charlas de mostrador olvidasen lamentablemente sus deberes de cristianos. No se les juzgaría malos por eso, tenían excusas. La iglesia, pequeña ya para el pueblo*, no podría contener a los mercaderes forasteros, y los que llegaban tarde tenían que quedarse en la puerta, al aire libre, y seguir la ceremonia por simple cálculo del tiempo y por la campanilla del sacristán. Los últimos, a falta de otra cosa mejor, se guarecían en las tiendas de campaña, bebiendo y hablando en voz

* «En el libro de las Confirmaciones del arzobispo Guzmán Contador, se calculaba en Gafeira, para la fecha de 1778, igual número de almas que en la capital del Consejo [...] mientras que en la última relación se ve que no hay más que 1.044 habitantes, entre hombres y mujeres, y con esto se prueba el abatimiento a que esta tierra se halla condenada.» Saraiva. *Monografía.*

«Sólo el año pasado emigraron 19 familias enteras. Calcule su Excelencia.» Regidor de la aldea en una charla.

baja, pero todos, en la plazuela o en el mostrador, harían
la señal de la cruz, cuando, a través de la mañana silenciosa, resonase el tintineo del *sanctus, sanctus, sanctus.*
Pues sí, ahora la plazuela es lo que se ve. Una muralla,
un fantasma. Más exactamente, un terreno adornado
con argollas que hicieron época cuando salían de las
piedras plomizas para detener al viajero por la brida, y
que hacían de esta plaza un lugar deseado. Por esto se
muestra tan triste y paciente en su silencio, y más que
paciente, olvidada por la aldea. Tan renegada como la
conocí hoy hace un año, día treinta y uno de octubre, con
ocasión de mi primera cacería en la laguna. Abad Agustín Saraiva:

Quiso hacer la Providencia de esta tierra de Gafeira un ejemplo de castigo. Porque estando dotada de buenas aguas para
curar heridas malignas y de abundante y sabroso pescado, no
la redimió el Señor con la cara de su Altísima Clemencia, la
cual tiene dos puntas que son la del castigo del mundo y la del
arrepentimiento cristiano y estas dos puntas son de fuego y
de miel y conducen a la absolución el día que de las entrañas de
Gafeira desaparezca la última señal de paganismo, así como
también la de los festines y orgías que tuvieron lugar en las
termas romanas instaladas por Teófilo de las que quedan
piedras impías e inscripciones de agravante *speculum exem-
plorum.*

Aceptemos la maldición. Descifremos la muralla pe-
cadora y escribamos con mano oficial, celoso doctor, el
nihil obstat para alivio de todos nosotros. Soy así, respeto a los muertos que dejaron su palabra en el granito y
en papel. Aunque los muertos se llamen Agustines Sa-
raivas, Julios Dantas, Augustos de Castro y otros litera-
tos menores, sin olvidar los de las estatuas. ¿Y después?

Después quiero decir que los respeto pero que no me los apropio, al revés de muchos políticos, para tergiversar el cadáver y las ideas a mi capricho. En la mayor parte de los casos paso con el sombrero puesto ante tales personajes, como si viviesen, y a esto llamo yo respetar. Por tanto que el muro se conserve donde está, y al Abad también (en las páginas que escribió) porque uno y otro son incapaces de explicarme aquella tierra herida por la luz de la tarde. Para comprenderla debo hacer un rodeo, retroceder un año. Escoger una mañana de domingo y poner en el centro del marco de argollas coronado por la leyenda romana, no el buhonero de otros tiempos, ni las vendedoras de gallinas bajo los quitasoles, ni el herrador cercenando cascos, sino un Jaguar modelo E-4.2 litros. Eso: la plazuela y un Jaguar frente a la iglesia, más o menos donde está mi automóvil. Un poco a la izquierda, tal vez; digamos, a veinte pasos. Ahora añado, si me permiten, dos pastores alsacianos, cada uno atado a su escudete del parachoques, añado sol, mucho sol, y –perdonad, Abad, pero no sé lo que hago– derramo un poco de música también, dejo deslizarse ciertos coros estridentes que suelen oírse en las misas de provincia.

> –*Spiritus sancte, Deus...*
> *...miserere nobis.*
> –*Sancta Trinitas, Unus Deus...*
> *...miserere nobis.*

No pongo gente por ahora: no la había el día que desembarqué en Gafeira. Lo único viviente que encontré fue la letanía y los perros que guardaban el poderoso automóvil, y ni siquiera ellos se dignaban mirarme. Ge-

mían, con rencor, y enseñaban con desgana los dientes a
las voces que pasaban junto a ellos:

«Aúúúú... aúiú...»
«Aúúú...»

Los aullidos desgarraban la letanía y, naturalmente, tenían que llegar a la iglesia que era pequeña y de maderas
pintadas, iglesia pobre como puede verse. Allá sacudirían
a los campesinos en su fe soñolienta, los inquietaban (y
no se olvide que, momentos después, yo presenciaría el
desfile de aquella gente a la salida de misa; puedo verla
por tanto allá dentro: los hombres de pie, las mujeres
arrodilladas. Hijas de María, con el rosario entre los dedos, muchachos con transistores y camisas de nylon recibidas de lejos, de una ciudad minera de Alemania o de las
fábricas de Winnipeg, Canadá; jóvenes con perfil de luto
–llamadas «viudas de vivos»– siempre rezando por sus
maridos lejanos, pidiendo a la Providencia que las llame
junto a ellos, y agradeciendo una vez más los dólares, las
cartas y los regalos enviados...

Basta. Todos, hombres y mujeres, estarían como dicen
las narraciones sagradas, es decir, con la apatía de sus
cuerpos cansados; todos repitiendo un ciclo de palabras,
transmitido y simplificado, de generación en generación,
como el movimiento de la azada.)

Fuera, entretanto, los aullidos. Se extendió un murmullo de botas por el suelo, se oyó el llanto de un niño y entonces, en el altar mayor, quizás el Ingeniero se volvió ligeramente en la silla. Si fue así (como posiblemente fue),
bastó eso para que un criado, por más detalle manco y
mestizo, se escurriese entre los fieles y viniese a la calle
para hacer callar a los animales.

Yo mismo lo vi salir a la plazuela la mañana que llegué a Gafeira. Pasó junto a mí murmurando obscenidades, cuarteado por el sol y con el brazo amputado bamboleándose. Sólo que, para mi sorpresa, de repente se volvió frío ante los animales y les habló con mesura. Se dirigió al primero:

–Lord de pacotilla que jamás piensas... –y empezó a desatarle la traílla.

–Um –le respondió el Lord acostándose en el suelo.

Se dirigió al segundo animal, una perra:

–¿Y tú? ¿Quieres fiesta, Maruja? ¿Dejarás de mover la pata?

–Um– respondió la Maruja–. Um, um... –Y se irguió con la lengua fuera para saludarlo. Pero el mestizo la apartó secamente.

Con su única mano desató a los animales y los llevó al otro extremo de la plazuela.

Escogió dos argollas, los ató fuertemente y, tan corto, que tocaban con la nariz en la pared y sus patas delanteras apenas llegaban al suelo. Y con eso les hablaba sin parar en un sermón constante que, a la distancia que me encontraba, parecía un discurso de consejos paternales. Causaba asombro asistir a semejante castigo, a la autoridad con que lo ejecutaba y a los movimientos precisos y eficaces de la mano mandando a dos fieras tan difíciles. Mano astuta, pensé. Controlada.

Dos

*D*os perros y un escudero, como en un tapiz medieval, y sólo después se presenta el señor en todo su porte: avanzando por la plaza, llevando a la esposa de la mano; cazadora negra, pañuelo de seda al cuello.

A primera vista me pareció más joven de lo que realmente era, tal vez por el andar un tanto cansado, tal vez, no sé, por la manera como acompañaba a su mujer: de la mano, como dos jóvenes de paseo. (Cuando lo conociera, la noche siguiente, comprendería que lo que dominaba en él era el aire indefinido, el rostro sin edad de muchos jugadores profesionales y amantes de la vida nocturna. Pero continuemos.)

Sigamos observando, como aquella mañana, a marido y mujer que atraviesan la plazuela. Había sol a raudales, brillo y oro y no la claridad mortecina de este final de octubre a que estamos asistiendo y que desgraciadamente nació comprometido, hermano del invierno. Recuerdo bien que en aquel momento pensé en la maravillosa luz de otoño –la mejor de todas– y dos monedas resplandecientes mientras observaba a la pareja dirigiéndose hacia

el Jaguar. Serían sesenta metros en total (pongamos setenta, a juzgar por la distancia a la que mi coche está de la
iglesia), setenta metros de silencio y a paso de procesión,
entre campesinos endomingados y entontecidos todavía
por la lenta y pesada obligación de la misa. Y ellos avanzando con la cabeza erguida, dadas las manos, sin saludar
a nadie; sin una palabra entre ellos y mucho menos con el
mestizo que los esperaba sujetando los perros. Dos silue-
tas de moneda, dos infantes del mediodía. ¿Dos qué?

Me sonrío: *Infante* nunca fue invención mía. Me salió es-
pontáneamente porque desde que llegué lo tengo en el oído.

–¿Y el Infante? ¿No se encontró con el Infante en Lisboa?

En este momento la palabra debe circular allá, en el
café de enfrente. No me extrañaría. *Infante* por la izquierda, *Infante* por la derecha... porque es en el café donde el
Viejo vendedor de lotería forma corro, con las dos tiras
de lotería colgadas del cuello de la chaqueta. Sólo él trata
así al Ingeniero, de *Infante,* y si tiene éxito se cree con derecho sobre la palabra. Tal vez tenga razón. Tal vez, insisto, incluso tenga necesidad de ese derecho, ya que, además de vendedor de suerte y aproximaciones, es el guía y
el mensajero de la aldea. Cada oficio con su estilo, y éste
–guía, pregonero, mensajero y actividades sociales– necesita tener el suyo. ¿Por qué diablos no ha de haber *copy-
rights* para los vendedores ambulantes?

–¿Y el Infante? –está ahí como cuando vino a recibirme,
no hace mucho tiempo, cuando me apeé en la plazuela.

En fin, no puede decirse que sea una manera apropia-
da de saludar a un conocido, un huésped, como en este
caso, que regresa a la aldea después de una ausencia de
365 días. Es verdad, trescientos sesenta y cinco días, Viejo. 31 de octubre de 1966-31 de octubre de 1967. Fechas
de cazador. Y este año, que yo sepa, no fue bisiesto.

Pero aunque hubiese transcurrido solamente un mes, aunque fuese escasamente una semana, una quincena, la cuestión es la misma. Un cazador llega a aquel terruño, mira alrededor –muralla, casas mudas, la puerta de la tienda del Regidor abierta– y sale una voz sin saber de dónde. Se vuelve uno y se encuentra con un hombrecito que le mira: ¿Y el Infante?

Parece una acusación, palabra. Desorienta el encontrarse así con una cara conocida y un gran diente clavado en medio pidiéndonos cuentas:

–¿Y el Infante?

Después los ojos, Viejo. Esas grietas sin brillo también se mostraban indiferentes a todo, a mí, visitante de buena voluntad, y a todos los otros cazadores que entre hoy y mañana vendrán a Gafeira en peregrinación a buscar las aves de la laguna. Querían tener noticias del Ingeniero (perdón, del Infante). Los ojos a todo lo demás ni buenos días ni buenas tardes.

–¿No lo vio? ¿No se encontró con él allá en Lisboa?

Ante eso un hombre duda. Se da cuenta de que algo ha pasado. Pero, ¿qué?

–Crimen –pronuncia el diente inquisidor; y se siente que en el interior del Viejo se había levantado una alegría mansa. La victoria del profesional de novedades al que le gusta llegar primero, en el momento menos pensado, con la revelación que deslumbra al visitante.

–Se lo estoy diciendo. Perros, criado y señora Mercedes, ya nada de eso existe. Caramba, no me diga que no lo sabía.

Imagínese cómo un diente como aquél, único, eremita, puede sorprender a un forastero al mediodía en una aldea en silencio. Es un hueso erizado en el desierto, un estilete que se aprovecha de la desorientación de un extraño para penetrar hondo, siempre más hondo, para destruir los últimos restos de duda y de serenidad.

–Hombre... –intenta decir el viajero. Y el otro corta en seguida, sin hacer caso–: Así es. Doña Mercedes mató al criado y el Infante la mató a ella. No hay más.

A partir de aquí el Viejo deja de ser coherente. Se enzarzó en un discurso tortuoso, cargado de medias palabras, en el que se podía vislumbrar a María de las Mercedes, completamente trastornada, enfrentando al marido y al criado, esa extraña unión que la torturaba.

–Se acabó. Se devoraron unos a otros, tuvieron el fin que merecían... Ahora el que quiera cazar en la laguna ya no necesita la autorización del Infante para nada. Y etcétera...

Así, meditabundo, con la gabardina al brazo, abandoné mi automóvil hace unas tres horas, y me dirigí a la pensión. Llevaba encima la voz del pregonero de la aldea; iba envuelto en una tempestad de venganzas y de delirios populares. Las tiras de lotería revoloteaban delante de mí y el hombre parecía loco, completamente loco, o ¿representaba su número?, me preguntaba yo continuamente.

Desde este mirador considero las vueltas y revueltas que dio aquel diente sobre la plazuela: picoteándolo todo a mi alrededor; mordisqueando en círculos mientras estuve parado junto al automóvil; persiguiéndome después con monsergas; y finalmente, ya más confiado, tejiendo una red de palabras, enroscándose en mis pasos y entorpeciendo mi marcha. En cierto momento fui yo el que se dejó llevar por él. Envenenado por la curiosidad, en vez de dirigirme inmediatamente hacia aquí, donde una patrona de pensión de cazadores esperaba mi llegada desde la mañana, acompañé al Viejo al café. La pensión que espere, decidí. Convenía primero tomar aliento, beber una

copa y empezar a conocer el ambiente por el que se intro-
duce el cazador ignorante en los misterios aldeanos. Los
de Gafeira eran muchos e increíbles. ¡Sí lo eran!

–No lo decía yo –dijo el Viejo, apenas entramos en el
café–. El Infante tampoco está en Lisboa. –Me señalaba a
dos hombres que estaban sentados a una mesa, como si
me hubiese ido a buscar a otra parte para confirmar allí lo
que sospechaba hacía mucho tiempo.

–Diablo –murmuró uno de ellos, el Dueño del café,
rascándose la cabeza–. Ahora sí que se armó...

Y el otro, un Batidor de caza:

–¿Se habrá fugado a África?

–¿África? –gritó el Viejo–. No me hagas reír. En África
nunca estaría seguro.

El Batidor entonces:

–De todas maneras huyó. Y el que huye es porque no
quiere que lo agarren. Eso es.

Viejo de un diente:

–Ahora échenle un galgo. Mató, cometió un crimen...
Y todavía dicen que hay justicia.

Batidor:

–Dos muertos, nada menos.

Viejo:

–Uno, exagerado. A Domingo lo mató la señora.

Aquí empezó la confusión. Según el comerciante propietario de una casa de puerta abierta, ya se sabe: la verdad está en los hechos. Nada de crimen. Según el vendedor ambulante la explicación eran los celos. La señora
mata al criado, y el marido, indignado, la mata a su vez.

–¿Pero es que tú no entiendes –insiste el Viejo– que de
esta manera el alma del diablo se queda sin pizca de honra donde agarrarse? ¿No lo entiendes, Batidor de boca
abierta?

Parece que los estoy oyendo: dos predicadores furio-
sos. Discuten a muerte e incluso meten por medio almas
de otro mundo; hablan de perros, perros fantasmas (¿o lo
habré entendido mal?), y nada los puede detener.

–Destecharon la casa –decía el Viejo (o el guía, ya no
distingo)–. Son las almas de los Palma Bravo, que andan
por allá a porrazos.

–Y los perros –añade el otro, en seguida–. También
aparece el fantasma de Domingo disfrazado de perro
manco. Dicen.

–Bien hecho. ¿No quiso Domingo ser toda la vida perro
del Infante? ¿No se portó como tal? Pues tuvo el final que
merecía, no hay más que hablar.

–Muerte de perro, como le correspondía.

–Y el Infante también tuvo un fin justo. Preparó la
cama y se acostó en ella. ¿Fue así o no?

–Caterva de ciegos.

–Ya lo decía el hijo del infeliz, que quien mucho deshonra
acaba deshonrado. Es el caso. La verdad está a la vista.

–Ciegos, caterva de ciegos.

Eran dos cuervos, dos apóstoles excomulgadores. El
vendedor ambulante maldiciendo con las tiras de la lotería al cuello como una estola de sacerdote, y el Batidor,
siempre fiel, coreando la letanía. *Infante... Infante...*, repito para mis adentros. E interiormente le pido perdón por
haber empleado una palabra tan propia del Viejo y en la
que sólo el Viejo sabe poner la intención más profunda.
Por lo menos me falta el odio animal de un diente que na-
vega entre la fábula y la justicia para dar a esta palabra la
violencia debida. Y ahora, retiro la expresión. No haría
efecto, tengo que reconocerlo.

Así, pues, donde escribí *Infante* pongo *Ingeniero*, o
sencillamente el nombre propio, Tomás Manuel, y aparto

mi mirada del café donde dejé al Viejo y al Batidor. Vuelvo a la plazuela y, sin querer, regreso a la mañana del año
pasado en la que asistí a la aparición del matrimonio Palma Bravo después de la misa. Los sigo de cerca, pasando
entre la multitud (con permiso, Viejo) entre hijas de María, viudas de vivos y muchachos con camisas compradas
en los almacenes de Winnipeg, Canadá. Me entretuve demasiado con cuestiones secundarias, fantasmas, problemas de café y, entretanto, nuestro hombre ya está al volante. A su lado, María de las Mercedes, joven esposa.
Detrás, el criado mestizo, entre dos mastines. «La barca
del infierno», concluyo desde mi ventana, pensando en el
triste fin que les espera.

Admirado por los jóvenes en camisa, Tomás Manuel, el
Ingeniero, limpia sus gafas oscuras con gesto despreocupado. No manifiesta interés en la curiosidad que lo rodea,
casi no mira, sabe que un toque en el acelerador abre paso
y sigue adelante. ¿Obedecerá a cierta regla que más tarde,
una noche de embriaguez, le oiría yo respecto a la gente
de Gafeira y de sus mañas?

Busco en la memoria: *Estos tipos cuanto más nos miran
menos nos quieren ver...*, era la regla. El Ingeniero la completó con el ejemplo de un famoso tío Gaspar que sólo bajaba a la aldea para oír misa y, ni siquiera entonces, miraba a nadie de frente. Lo hacía por compasión, decía él.
Temía que esta gente se volviese ciega al sentir el brillo de
su mirada.

Por lo que llegué a saber gracias a Tomás Manuel en
nuestras veladas en la casa de la laguna, creo que estaba
en este plan en aquel momento: pie en el acelerador, dueño del tiempo y aprovechando sin saberlo las reglas de los
grandes difuntos. La misma dueña de la pensión, tan cachazuda, tan ordenada, afirma que había en él un cora

zón generoso y una veleidad de caprichos que unas veces seguía las lecciones de su padre y de su abuelo, personas de agradable compañía, otras las del citado tío Gaspar, el hidalgo cuyo mirar cegaba. Tenía épocas, decía ella.

Y yo:

–¿Épocas?

Interrumpo las consideraciones de mi hospedera porque me viene a la memoria un solemne estruendo que rasgó la vertical línea del mediodía. ¿Qué es eso?, preguntará, si lo pregunta, algún desprevenido. La plazuela tembló, el Jaguar se transformó en un ronquido que ya atravesó la aldea, que ya se perdió en el camino, y aúlla subiendo el monte, devorando curva tras curva hasta sumergirse en el pinar y pararse en mitad de la cuesta sobre la laguna. Allí está la casa.

Creo que todavía la sé indicar, aunque esté oculta al otro lado de las colinas. Siguiendo la línea que forma la chimenea de la casa del cura con aquel poste más aislado, voy a parar allá. Es infalible. Tan infalible como señalar la laguna al ponerse el sol por la corona de vaho que la delata y que es –vuelvo a decirlo– su reflejo, la respiración que exhalan los pantanos y los cañaverales.

Tres

A hí está la dueña de la pensión: un mastodonte. Acaba de salir bajo mi ventana cargada de carnes y de lutos, y creo que con la boca abierta para desahogar su trémulo corazón. Atraviesa la calle persiguiendo a la niña-criada, como de costumbre. Entra en el café: apenas pasa por la puerta. Tiene cabecita de pájaro, espaldas de montaña. Y senos, senos y más senos, esparcidos por el vientre, por el cogote, por las nalgas. Hasta los brazos son senos atravesados por tiernísimos huesos. «Jesús, lo que son las cosas», se queja continuamente.

Con un cuerpo así no podía dejar de ser una criatura paciente, maternal. La vemos sentada, hormiga-reina de una hospedería para cazadores: toda ella rezuma generosidad. Nos acercamos más: verificamos que está erguida sobre una fina capa de olor a flor de madera, el modestísimo olor a jabón amarillo, y empezamos a oír una música amable arriba: su voz. Escuchémosla sin prisas, es el canto de un alma sensible, resignada. Y no faltarán pequeñas atenciones, pequeñas gotas de rocío, para obsequiar al que se acercó a ella. No hace mucho, cuando vino a saludarme, se preocupó de traerme la *Monografía* que tengo aquí.

–Hete aquí. La otra vez, señor escritor, leía mucho este libro, tal vez todavía le interese.

–Déjemelo llevar –dije yo.

–Aquí tiene, es suyo.

Se lo agradecí. Era un gesto, como se ve, una gotita de rocío que destilaba de un cuerpo voluminoso y paciente. Y la prosa del Abad también es paciente, tiene todo el aspecto de un inventario de ruinas y de cosas quietas. Un alivio casero, a propósito para distraer al cazador, y proporcionarle un descanso de la Naturaleza y de los inquietantes caprichos de las aves. Además, está llena de verdad histórica (a juicio de mi hospedera), con «muchos y muchos casos de familias ejemplares».

–Que yo sepa, sólo el Ingeniero tiene otro ejemplar –añade ella–. Pero, Dios me perdone, creo que ése nunca pasó de aquella parte que habla de los ocho hidalgos de buen corazón.

–¿Ocho hidalgos?

–Los Palma Bravo, señor escritor. Todo está ahí. Cómo hicieron la casa, el terremoto de la pólvora, la donación de la laguna. En fin, era gente de valía.

Mi hormiga-reina, mujer de procedimientos certeros y diligentes: yo, que leí línea por línea toda la *Monografía* del abad Domingo Saraiva, que incluso transcribí algunas páginas en un cuaderno que me traje y que por si acaso está allá, en aquella maleta, yo, lector impuro, garantizo con la mano sobre la misma obra piadosa que jamás encontré en ella la menor huella de algún hidalgo de buen corazón. De verdad, palabra de señor escritor. El Abad sabía mojar la pluma sin cargar mucho las tintas, y si elogió a los Palma Bravo fue lo suficientemente cauto para no acercarse demasiado a la laguna. Allí no llegó. Incluso porque la laguna quema, ¿no es verdad?

«La laguna quema, la laguna quema...» ¿Dónde he oído eso? ¿Hoy, cuando fui a comprar el permiso al Regidor, o hace un año? ¿En el café? ¿Y a quién?, ¿al vendedor ambulante? «Está envenenada, es una laguna de plomo y de pólvora. Y, ¡ay de aquel que meta la mano!...». ¿Dónde diablos fui yo a dar con eso?

«Lo que son las cosas», se lamenta mi hospedera; y tampoco sé si esta voz es de ahora, cuando la buena señora hablaba conmigo sentada a un lado de la cama, o si es más antigua, de otras visitas que me hizo, cuando, sentada en el mismo sitio y llevando la misma bata negra de satén, ponía la mano en el pecho, jadeante por haber subido la escalera. Ondeaba, ondeaba. Ya entonces le temblaba la voz como un susurro de pétalos en el pezón de un enorme seno.

–Lo que son las cosas... Si el Ingeniero no se preocupase tanto por la laguna...

En este momento me acuerdo muy claramente de una frase de Tomás Manuel que apunté (o no, es cuestión de buscarla) en mi cuaderno: «*Si hasta ahora mi familia gobernó la laguna, no he de ser yo quien la pierda*». ¿Sabría esto la recatada hospedera? Todo me inclina a creer que sí, y que sin perder su compasiva serenidad se adhiriese a esta frase (a esta declaración de principios, para ser más exacto) y se alargase en la explicación de los ciegos caprichos que llevaron al Ingeniero a la perdición. Haría comparaciones con el pasado, invocaría a los ocho hidalgos de buen corazón (la biblia del Abad es para ella lo que el ribete de fantasmas populares es para el vendedor ambulante) y su comentario saldría perfecto, ejemplar, modificado por la clemencia. Imitando su estilo:

–Esas frases, señor escritor, ya las decía su padre, que

tenía mal genio pero era muy afable, y el abuelo don Tomás, que con pocas palabras hacía temblar a los doctores.
El Ingeniero los respetaba mucho. Muchísimo. Pero *(aquí
bajaba la voz)* todos los caprichos que tenía respecto a la
casa de la laguna merecían estar en los libros al lado de los
antepasados. Créalo, señor. Para mí, que no había otra
razón de decir estas frases. Pienso que se sentía más cerca
de los abuelos cuando las empleaba, ¿me explico? *(Pausa
mientras acariciaba tristemente el vestido a la altura de las
rodillas.)* Cometió errores, no digo que no. Hizo muchas,
muchas extravagancias, y sin necesidad. Pero se gastó
una fortuna en vigilias y en la laguna, la intención no era
mala. En eso de honrar a los difuntos creo que todas las
exageraciones pueden disculparse.

Estar más cerca de los muertos... repetir sus palabras,
eludir el tiempo adverso. «En una palabra, la soledad», es
lo que dijo, sin darse cuenta, mi hospedera. Y mira quién
habla. Ella, solitaria más que nadie, sentada en un lado de
la cama; tan fuera del tiempo, pobre, tan apartada de él,
que me la imagino, no en un cuarto de pensión, sino en
una gran pista desierta hecha de tablas interminables que
huelen a jabón amarillo. Su porte de matrona se pierde en
la aridez del tablado, y es minúscula, infantil. Dios Santo
(o Santísimo Sacramento), lo que son las cosas. Una hormiga-reina comentando la soledad de los otros y acari-
ciando las rodillas abandonadas; despidiéndose, con ese
gesto, de su cuerpo rollizo, secretamente exuberante y
ahogado en grasas. O si no (como diría un novelista de la
ciudad y a la moda) una mujer que arrulla la infancia, per-
siguiéndola en la imagen de una niña-criada o que esconde
un secreto en su interior, quién sabe, pisándolo con sus
dedos y con la melancolía de la resignación. ¡Quién sabe,
pues, quién sabe! Es ciertamente ése el mundo de una

hospedería de aldea: cuartos por ocupar, primaveras de jabón amarillo. Frases perdidas, siempre las mismas, desdoblándose fuera del tiempo: «Difuntos, difuntos...» Como si la aldea de Gafeira no hubiese sufrido en menos de veinticuatro horas una desgracia transformadora.

–¡Jesús –volvió a empezar ella–, qué preocupación la de aquel hombre de querer figurar en los libros! –También este desahogo está fuera del tiempo. Podría haber sido hoy (y si coincide lo es) o podría venir de lejos, de un bulto perdido en el infinito hablándome desde una cama de muñecas en la punta de un excesivo desierto:

–Sólo Dios sabe la vida regalada que tendría si quisiera. La fábrica le ponía una casa de vacaciones a su disposición en la ciudad, pero, eso sí, le cegaba la laguna. Y todo por culpa de aquella manía de querer figurar en los libros.

Y yo, desde el vano de esta ventana:

–Es posible. Por lo demás estaba en su derecho.

Y ella:

–¿Qué?, ¿al lado de los otros Palma Bravo? Señor, eran personas de respeto.

Yo:

–Lo sé, está en el libro.

Ella:

–Nunca, hasta la fecha, hubo en aquella familia el menor escándalo. ¿No me cree?

De nuevo yo:

–La creo. O, mejor, pienso en lo que escribiría ese hombre si estuviese vivo.

Ella:

–¿El autor del libro?

Yo:

–Sí. Estoy seguro de que callaba, hospedera. Más que seguro.

Entonces ella:

–Y tal vez fuese lo mejor que podía hacer. En mi opinión que hay desgracias que sólo sirven para ensuciar el papel. Con su permiso, señor escritor.

Y, acordándome del Viejo de un solo diente:

–A menos, recatada hospedera, que el Abad tuviese la decisión, el arrojo, el brillo, la alegría, la justicia, etc., que tuvo el vendedor ambulante cuando me relató los crímenes, y pusiese la historia de los perros, de las almas en pena y las leyendas populares.

Ella, con las manos en la cabeza:

–El vendedor ambulante, Virgen Santísima.

Yo:

–¿Y pues? De ahora en adelante esas cosas forman parte de la laguna.

Ella:

–Vaya. Es un ingrato ese vendedor ambulante. Un diablo que si un día se muerde la lengua muere envenenado. ¿Acaso habrá alguien que crea las patrañas de semejante pícaro?, dígame. Ni él mismo, a lo mejor. Y, señor escritor, sólo por ignorancia, sólo por una gran herejía se invoca a las almas del otro mundo en una cuestión tan clara como ésta. –Suspirando profundamente–: Ay, ay..., cállate, boca.

Pero la boca no obedeció, ahora me doy cuenta. Cambió a lo más de tono. Con disgusto, hasta con piedad –digo bien: disgusto, piedad– muestra cómo, haciendo de Tomás Manuel un criminal que venga en su propia mujer la pérdida de un criado, el vendedor ambulante ponía en duda la calidad de hombre, o sea, sus costumbres de macho, permítaseme la expresión. «Ahora bien, si se pudiese inculpar algún pecado al Ingeniero sería el de ser demasiado ligero y andar, como dice otro, siempre detrás de las faldas. Pase la expresión.»

«Es lógico», convengo. El discurso de mi hospedera era totalmente cierto y comprobado. Pero la respuesta del vendedor ambulante, si estuviese aquí, respuesta con trampa, como siempre, no sería menos cierta. Sólo eso: que quien mucho fornica se cansa, es decir, que «quien mucho deshonra acaba deshonrado».

Y como argumento es suficiente. Ambas partes participan de él, pero igualmente tiene lógica y, más aún, astucia. Tiene coraje el Viejo, sobre todo cuando se trata del Infante.

Mi hospedera:

–Si hubiese habido crimen, como dice él, si alguien la hubiese matado (a María de las Mercedes) y la hubiese tirado allá (a la laguna), ¿quedaría el cuerpo clavado en el fondo? ¿No subiría en seguida a la superficie?, dígame por favor. ¿Y la autopsia? ¿Para qué sirven las autopsias? Estaban equivocados, ¿no? –Moviendo la cabeza–: También, qué idea la del Ingeniero, desterrar a la pobre señora a un desierto como aquél.

Dejémoslo ahí. No es necesario que mi hospedera vuelva a mentar a la dama de la laguna en su exilio del valle, interminables días haciendo punto, odiando a los perros (como todos sabían), fumando, haciendo pasteles.

–Buena vida, pero desgraciada –se lamentaría, resumiendo, la hospedera–. ¿Es mejor la mía?

–Cállate, boca –pienso yo en voz alta.

Nadie entra ni sale del café.

Cuatro

Allá (en el café) está la hospedera. No aquí, sentada en mi cama hablando, tampoco en el escenario, en un inmenso y lejano estrado moviendo la cabeza desconsoladamente. «Jesús, Jesús», estará diciendo a los engaños con que el Viejo llena los oídos de los cazadores forasteros.

Nos separa la anchura de una calle que atraviesa la aldea y que va a parar a la plazuela y a no sé qué carretera nacional, y nos separa también una fracción de tiempo –¿cuánto exactamente?–. Pero, fijándome, encuentro huellas de la buena señora en este cuarto, por ejemplo: el volumen de la *Monografía* sobre la mesa, el colchón ligeramente hundido en el lugar donde estuvo sentada (aunque lo arregló al salir) y, finalmente, las arrugas que hizo con sus pies en la alfombra cuando hablaba conmigo.

También hay correas de una cantimplora: que ella desmontó y dejó a un lado, encima de la colcha, para llenarla de aguardiente, si es posible de aquella bagacera de la que me sirvió otras veces y que tenía un gusto inolvidable.

–El gusto de las peras –recuerda mi hospedera.

–Es verdad, aquel gusto de peras.

Aquélla era una bagacera especial. Tenía peso, calor lento y un gustillo raro dado por unas peras silvestres metidas en ella. Estos frutos se llaman soromeños, y nunca se me habría ocurrido que pudieran templar tan bien el aguardiente.

Otra cosa inolvidable: la forma halagadora de una cantimplora. Las correas y el tapón cromado están en la mesita de noche. Por ahora sólo deseo que cuando me la devuelva tenga el peso, el denso y confortable balanceo de un líquido bien templado. Con un aguardiente en su punto no hay laguna que se resista. Y, como hice notar a mi hospedera, este año vamos a tener caza abundante. «Dice el Batidor», añadí.

Y ella (¿alisando el vestido?):

–El Batidor dice lo que le conviene para entusiasmar a los cazadores. Lo que no me parece bien, señor, es que hayan bajado el precio de los permisos. La laguna fue rematada en sesenta mil, cuando, en tiempos del Ingeniero, nunca iba a menos de noventa.

–Mejor. Queda más dinero para esa gente.

–Noventa mil –continuó diciendo mi hospedera–. Y la Cámara riéndose, y él con la escopeta en el armario. Dos o tres batidas con los dueños de la fábrica, unas pesquerías y ya tiene sin más noventa mil. ¿Se ha dado cuenta de la fortuna que le costaba cada tiro?

–No –le respondí–. Ni él tampoco, esté segura. Sólo hay un tiro barato en la vida. –El último, pensé para mis adentros, el del suicidio–. ¿Me despertará mañana a las seis?

La niña sirvienta entraba y salía, cargando el equipaje. Primero la maleta, después las botas de caña alta, que le

llegaban hasta el pecho, y, finalmente, la escopeta y la cartuchera. Puse en su mano unas monedas:

–Para caramelos. Y si mañana cazo un pato te daré
más. ¿De acuerdo?

La patrona sonrió mirándome:

–Usted echa a perder a la muchachita. ¿Qué se dice?

–Gracias –respondió la criadita; y se ruborizó.

«Qué daría yo –pensé al salir ellas– por soñar esta noche en montañas de caramelos brillando como diaman-
tes y que esos caramelos fueran su mayor y más profundo
deseo. ¡Qué daría yo!», repetí. Sería bueno para los dos y
una cosa rara, un cazador compartiendo un sueño y un
pato con una niña. Lo peor es que sería también una su-
perstición, o casi. Ya lo ves. ¡Y qué debilidad! Dan mala
suerte las supersticiones.

Un ruido triste –una noria girando– resbala por la
tarde. Reloj ciego. Reloj de recios mecanismos, movido
por una de esas mulas con venda en los ojos que nunca
fueron al ejército, y que, por tanto, nunca aprendieron las
bellaquerías que constituyen la leyenda de las mulas. La
noria va dando vueltas minuto a minuto, se la siente pero
no se la ve. Y la mula-reloj se arrastra en un círculo de tierra y cangilones que se traduce en otro círculo de sonidos
mayor, un área donde cabe la tarde y la plazuela, que, de
cuando en cuando, es atravesada por un acontecimiento:
un grito, un bulto pasajero, esa camioneta que llega.

Productos Rekord: Letras rojas gritando en el altavoz que
está sobre la cabina. «Rekord» se lee en los lados y en las
puertas de atrás. Delante, alegres propagandistas de feria,
y buen negocio para las «Pomadas-Vermífugos-Dentífri-
cos-Precios de laboratorio» y para todo lo demás que no
cabe en el letrero de la camioneta. Preparen nuevos dis-

cursos (repartiendo frascos de lombrices, si no tienen inconveniente). Sugerencia: charla a los gafeirenses sobre el reumatismo y la pomada Rekord, porque decenas de viejas de esta próspera tierra padecen de «herrumbre de la laguna» y piden a las abejas que les piquen. Da resultado, pero duele. Y hasta la próxima, pedagogos ambulantes, tribunos y peritos de márketing que van en esa camioneta con altavoz, enaltecidos por los universales eslóganes Rekord y por derrotados pasodobles.

Solo en mi puesto sobre la aldea me siento como un observador de gabinete que reconstruye un condado desaparecido. La camioneta aparecerá dentro de poco en la carretera que sube al pinar y allá arriba la podré ver por última vez, atravesando las zonas de tala, entre tiestos de resina y troncos cortados.

Toda esa cadena de montes, antes de haber sido hipotecada y abandonada a la maleza por un agrónomo caprichoso, fue conquistada por otro Palma Bravo (el primero, el más antiguo, también Tomás Manuel, y tal vez guardabosques real), discutida y demandada por los que siguieron (por el de pocas palabras, padre del actual, por el abogado guerrillero, por otro que tenía el brillo que cegaba...) y, poco a poco, elevada a la categoría de territorio intocable en nombre de la leyenda y de la costumbre. No faltaron curas de pueblo que le prestaron homenaje. Regidores, escribanos, militares. Ni siquiera un canónigo de tanta sabiduría como don Agustín Saraiva, autor de la *Monografía del término de Gafeira/Leiria*. Año MDCCCI.

Cojo el libro. Lo tengo en las manos, reseco, amortajado con unas tapas de pergamino y rodeado de olor a santidad. Lo he de volver a leer después, al acostarme, y recorrer, guiado por él, túmulos, cuevas y caminos de las legiones conquistadoras romanas, soñando en milagros, soñando en excomuniones. Revivir, en suma, la gloria y el apocalipsis de un punto olvidado de la tierra, esto que me rodea, la Gafeira que el Abad cisterciense redujo a un castigo divino.

Entonces admiraré una vez más el gusto oficial y las pequeñeces que hay en los sabios de biblioteca cuando se abocan a un pasado muerto para huir de las inquietudes del presente. Diré: sabios de andar por casa. Y no dejaré de sentir por un momento ternura hacia las ingenuidades de este custodio de *antiquitates lusitanae* (¿se dice así?) instalado en su prosa cuidada, en su elzevir ochocentista que vuelvo a saborear con los permisos necesarios y el privilegio real. ¿Me expliqué, lector benigno? ¿Fui claro, monje amigo? ¿Y nosotros, hospedera?

Retrocedo un paso, me desperezo.

Nosotros, ya me di cuenta, no estamos mejor. Soledad, bien lo veo. Respeto hacia los antepasados. Por eso es comprensible que una hormiga-reina de cazadores sienta tan alta veneración por las ásperas páginas de un memorial, haciendo suyas sin darse cuenta las opiniones y la descripción que hace de Gafeira. Es fácil. Si yo quisiera, abriría el libro al azar y no dudo: ya en los primeros capítulos me cruzo con legiones romanas; si sigo, encuentro peregrinaciones de leprosos pidiendo barro de la laguna «que es remedio infalible para las llagas más rebeldes» (palabras de la dueña de la pensión, no del Abad); más adelante, tropiezo con restos de balnearios y aparece ella con el dedo en alto: «Lujo y desgobierno. Fue el ansia de lujo lo que se llevó a tantos emigrantes de aquí...»

Ah, hospedera, a veces pienso que es el doctor Agustín Saraiva el que habla por esa boca de pétalos. Sólo él criticaría así a estos campesinos que abandonan la tierra y a los muchachos que llevan camisas de nylon y van al café a ver televisión. «Lujo y desgobierno...»

«Cuando el pobre come gallina...»: De una callejuela que va a parar a la carretera sale una vieja persiguiendo una gallina. «Piu-piu...», llama como si llevase en el delantal algún grano de maíz para ofrecerle. Pero el animal no se conmueve y, con la cabecita de un lado a otro, paso atento, se mete en campo abierto, la plazuela. *«Cuando el pobre come gallina»,* dice el refrán, no hay lujo ni desgobierno: *«uno de los dos está enfermo».* La gallina no se deja coger porque no se siente todavía enferma. ¿Lo estará la viejecita?

El libro del Abad me pesa en la mano. No necesito abrirlo para ver el universo que me espera. En unas páginas encontraré un campamento militar, en otras un cipo funerario de Tiburcio, el joven, poeta-cirujano; en otras, galerías, altares votivos, dedicatorias. Unas páginas más allá se llega a la edad de los varones labradores.

Mejoró en el palacio y en el reino el concepto de este lugar gracias a algunos nobles que lo poblaron y protegieron con su brazo, sobre todo los de la casa Palma Bravo.

Y como si estuviera mi hospedera para interrumpir la lectura, deleitada:

«Los ocho hidalgos de buen corazón.»

Entonces yo, que estudio por décima vez los labradores enaltecidos, por si acaso ninguno hidalgo y todos Tomás Manuel por bautismo, dejo el libro y hago mis cálculos.

Sumo a los ocho Palma Bravo de la crónica el padre y el abuelo del Ingeniero: hacen diez y todos vivieron enfurecidos. No importa. Están en guerra en el pinar (hacia donde se dirige la camioneta del altavoz) y, sean o no fantasmas de hidalgos que usan el protocolo del diablo, cuentan. Añado el Ingeniero: son once. «Once», murmuro. Número primo, dos cifras gemelas, perpendiculares. Dos lanzas verticales que cierran la lista de los Palma Bravo.

Siguiendo la camioneta por las curvas de la serranía, me pierdo allá lejos, en las veladas que pasábamos, en otros tiempos, yo y Tomás Manuel, el undécimo, cuando bebíamos en la sala que da a la laguna, con centenares de ranas hablando a nuestros pies. Al mismo tiempo me imagino una inscripción con grandes letras doradas en una cinta colgada de las nubes:

AD USUM DELPHINI

Exactamente. Como en los grabados antiguos.

Cinco

*A*d usum Delphini quedaría bien como lema coronando el portal de la casa. En medio del arco, y mejor en la cantería.

Las paredes las levantó Tomás Manuel, abuelo del Ingeniero, después de un incendio que pasó a la historia como «terremoto de la pólvora». *De pólvora,* porque empezó con una explosión del horno donde tres carboneros, pagados por los Palma Bravo, fabricaban municiones para combatir contra el gobierno liberal; *terremoto* porque, con la sacudida, la aldea se echó a la calle pensando que era el último día, que la tierra iba a estallar.

Parece que en esta aventura estuvo metido un abogado vagabundo, de ojos encendidos y barba espinosa, y que este abogado recorría a caballo los montes y riscos como correo secreto de Don Miguel (ya que en el despacho del Ingeniero había una proclamación miguelista). Dejémoslo, infeliz. Admito que sea una de las almas en pena del repertorio del vendedor ambulante, pero no creo que haga grandes estragos. Se cansó mucho en vida, murió en los huesos, comido por la tisis. ¿Con qué cara se presentaría ahora a la sociedad? ¿Con ojos encendidos y barba espinosa?

Tomás, el abuelo, hizo cuenta nueva y se puso a construir la casa sobre las antiguas caballerizas que habían escapado al incendio. Tuvo que hacerla más pequeña, imagínense el disgusto. Dos pisos, escalera de piedra en el patio de entrada, galería corrida, hoy sin peldaños y sólo tres gigantescas macetas la guardan. «¿Para qué peldaños si no hay niños?», preguntaba el Ingeniero cuando decidió transformar la gran sala en un estudio de amplios ventanales, abierto a la terraza. Y así la casa quedaba más atada al valle, más invadida por él. Más triste en invierno, cuando la lluvia brincaba en el cemento de la galería, fustigada por el viento.

El estudio. Todo arreglado como en la noche de las presentaciones; objetos de cobre en las paredes, encima del hogar una escopeta antigua. Yo, cazador visitante, María de las Mercedes en el sitio apropiado (sentada en el suelo entre revistas –*Elle, Horoscope, Flama),* el marido echado en el sofá y con un brazo colgando para alcanzar la bebida que estaba sobre la alfombra. Música de fondo, la del tocadiscos.

Nos distraíamos hablando de cosas diversas, historias de caza (allí fue donde me prestaron el precioso *Tratado de las Aves / Compuesto por / Un Experto),* tiempo, viajes, comida. También hablábamos de personas concretas, gente de nuestro círculo privado que a veces se tocan entre sí y, como suele decirse, hacen acercarse a dos desconocidos. De nombre en nombre, unos presentes, otros olvidados, salió a colación la muerte. Hay señales de ella esparcidas en mi cuaderno, opiniones del estilo:

–¿Muerte? La única cosa de la que los horóscopos nunca hablan... –María de las Mercedes.

–No hay muerte hermosa sino la de Cristo y la de parto –la misma, al acabar otra velada.

–¡Hacer la tumba en la laguna! –Tomás Manuel.

–En serio –declara el Ingeniero–. Si un día hago testamento, quiero ser enterrado en la laguna.

María de las Mercedes levanta una ceja. O no entendió, o no le vio la gracia.

–¡Qué tétrico, Tomás!

–No tanto. Es mucho mejor estar en la laguna que en una fosa llena de gusanos.

–¡Uf! –dice ella–. Tú estás mal.

–Estoy perfectamente. –Tomás Manuel se ríe. Y como si recitase–: *Bien enterrado en el fondo del lodo para que no me toquen los peces insignificantes...*

–Pues me parece de pésimo gusto –insiste María de las Mercedes, mientras pone en marcha el televisor. Regula la imagen, dejándola sin sonido, y de allí vuelve a su rincón entre almohadas. Ya ha vuelto. Ahora está atenta a la pantalla. Ante ella pasan procesiones y paradas militares–. Además, que un entierro de éstos daría mucho que hacer –añade, sin apartar los ojos del televisor.

–No sé por qué. Es tan fácil hacerlo en la laguna como en cualquier otra parte. –Tomás Manuel se vuelve hacia mí–: ¿No hay pueblos en el Amazonas con cementerios sumergidos? Entonces, ya está. Se buscan unas escafandras...

María de las Mercedes interrumpe en seguida:

–Otra vez los enterradores con escafandra. Tú acabas dándome pesadillas, Tomás.

El marido levanta el vaso de whisky con un gesto de brindis:

–Enterradores con escafandra. ¿Es o no sensacional?

Reímos los dos, ella no. La muerte, los grandes silencios y los parajes solitarios la asustan. En invierno raramente baja a la laguna (me aseguró el padre Novo) y es ciertamente por eso, porque las aguas sin luz, erizadas por el viento o por la lluvia, le recuerdan un mundo despoblado.

–Lo que me admira es el orgullo de esos peces. –Ahora el Ingeniero habla conmigo, no con ella–. ¡Que sepan que entran en agonía y que echen mano de las fuerzas que les quedan para cumplir su última voluntad! ¿Otro whisky?

–Acepto... Sólo unas gotas. Whisky y peces no hacen buena pareja.

–Sí que la hacen. Estos peces son especiales –Tomás Manuel me sirve la bebida con el gesto clásico de los barmen: dando media vuelta rápidamente a la botella, todavía sin destapar, para repartir el alcohol depositado en el fondo–. Son peces que cumplen por sí mismos su última voluntad.

Se queda con la botella en la mano. Se imagina una tumba austera sobresaliendo en el agua, rodeada de barbos plateados; ve aridez, majestad, y, en la negra masa del fondo de la laguna, peces muertos que prefirieron sepultarse vivos a ser devorados por sus hermanos.

–A eso lo llamo yo temple, nervio. Y sabiduría. Y tanto es así que sólo los grandes tienen el valor de enterrarse. Por lo menos es lo que cuentan los pescadores.

Y la mujer, sin dejar de atender a la televisión:

–Ah, pues sí. Haz caso de lo que dicen los pescadores, que estás bien servido.

–Si es que les hago caso. Y sabe, que nunca me arrepentí. En la caza perro y Batidor, en la laguna red y pescador. Buena o mala, no conozco todavía mejor receta que ésta.

¿Será un adagio?, comento para mis adentros. ¿Será uno de los muchos pensamientos, reglas o caprichos, heredados de Tomás, el fundador, de Tomás tercero, cuarto u octavo, de Tomás el abuelo, o alguno de ésos? Creo que ni la joven esposa lo sabe. Él, Tomás undécimo, tampoco, admirador de los peces que se esconden para ahorrarse las humillaciones de la muerte.

–Palabra, esta historia me fascina. –El Ingeniero habla en voz baja, despacio–. Uno de mis criados vio hace días dos cadáveres de ésos arrancados del fondo de Verga Grande. Estaban impecables.

–Cadáveres de santos –murmuro, y por dentro me sonrío: ¡Oh, la poesía fácil! Pero no nos adelantemos. Querer hacer del cuerpo un modelo para después de la muerte, ¿será tal vez menos fácil? Me imagino una dinastía de patriarcas conservados como tesoros en las profundidades y las lápidas sobresaliendo en el agua: Tomás Manuel (¿1600?), Tomás Manuel (¿1700?), Tomás Manuel (¿1800?), Tomás Manuel y más Tomás Manuel..., también ellos, desgraciados peces sin mancha. E insisto–: Cadáveres de peces santos.

–Sin duda. El criado dice que los cogieron enteros.

María de las Mercedes se encoge de hombros.

–Imagínese, Domingo.

–¡Qué tiene que ver! Que yo sepa, Domingo no es ningún embustero.

–Embustero, no. Pero sí es un soñador.

–¿Soñador con el sentido práctico que tiene?

–Sí, soñador. Debe ser la raza, o el clima, no sé. En el colegio había una de Cabo Verde que era exactamente como él.

Marido y mujer discuten por Domingo, el criado. No es sólo el ágil mestizo que vi llevando los perros en el patio de la iglesia, sino –como sabré dentro de unos momentos– el hombre que pasó la infancia en los muelles de Milendo, sirviendo de guía a marineros americanos con su voz suave y amable. Eso fue antes, declara el Ingeniero. La inteligencia que le dio la Naturaleza para vivir.

–¿Y el pasado no cuenta para las personas? –pregunta María de las Mercedes–. Pues mira, yo creo que basta que un tipo haya sido criado en una isla para que tenga una manera de ser especial. Por lo menos necesita imaginación para soportar aquel aburrimiento.

Tomás Manuel me hace un guiño:

–Influencia del factor geográfico en el comportamiento de las especies.

–Oh, no te burles –implora ella, y empieza a hacer punto.

El marido dirigiéndose a mí:

–Eso es. La sociología llegó a Gafeira.

A continuación, silencio: una esposa que hace ganchillo, un Ingeniero que bebe, haciendo girar el vaso entre los dedos. Situación poco agradable para una visita, si no fuese por el whisky añejo que lo acompaña y la no menos vieja curiosidad que nunca abandona al relator de historias esté donde esté. Coleccionador de casos, hurón incorregible, actor que escoge el segundo plano, convencido de que controla la escena. Déjame reír. Reír a disgusto, porque todos los relatores de historias, por vicio o por profesión, merecen su carcajada cuando creen que controlan la escena. Y el que los entorpece es el papel, el espacio blanco que amedrenta y entonces adiós suficiencia. No hay buena memoria ni gramática que los salve. Apuesto a que Jenofonte, a pesar de ser el patrón de los escritores cazadores, fue mucho mejor hurón en el campo abierto que en el papiro. Atención a Tomás Manuel:

–Cualquier día he de pedirle que nos haga unos ponches al estilo de Cabo Verde. –Se refiere a Domingo, evidentemente–. Son estupendos.

(Mientras tanto me acuerdo, sin dejar de vigilar la calle y el café, que los diarios, con su boletín meteoro-

lógico, tardarán todavía. Sé muy bien lo que pasó con
Domingo y de cómo el Ingeniero lo rehízo, pieza por
pieza, después de haberlo sacado de una guillotina de la
fábrica, sin un brazo. Lo sé todo. Sé la muerte que le espera y hasta cómo fue salvado de la perdición de la bebida gracias a una receta de Tomás Manuel, que, si no
me engaño, se reduce a dos puntos: brida corta y azote
en la grupa. Lo sé todo menos el pasado próximo, el ayer
y el hoy, que el diario de la tarde me reserva. Y es importante.)

     –Ahora se le pone un tractor delante y lo monta y des-
monta con la mayor corrección. Pero me dio trabajo, este
dichoso Domingo. Lo tomé, brida corta y azote en la grupa, y lo dejé *okay*. María, ¿cuánto tiempo estuvo Domingo en la Ford?

     –Seis meses –responde la mujer, desde el rincón de la
sala–. Mira... la locutora que a ti te gusta, Tomás.

     –Salúdala de mi parte. El caso es que en una etapa de
seis meses, o tal vez no tanto, aprendió todo lo de un trac-
tor como una persona mayor. De eso al Jaguar fue un juego, hace de él lo que quiere.

     De cuando en cuando, María de las Mercedes sorbe la
larga boquilla, la deja en el cenicero y, delante del televisor,
sigue la maniobra de los dedos y la lana. Maquinalmente,
como las beatas cuando desgranan un rosario. Hacer
punto, dice ella, relaja («uno deja de pensar») pero, aquí,
entre nosotros, ¿cuál es la diferencia entre el rosario y las
agujas?, pregunto, mirándola de repente. Mimetismo de
juguete, Profesor. Punto para los pobres, avemarías para
nuestro eterno descanso –dos movimientos que liberan el
alma y la angustia–. (Materia para desarrollar en mi cuaderno de notas: la caridad como elemento del equilibrio
social; después, como estabilizador de jerarquías: «*De la*

necesidad de la existencia de los pobres para alcanzar el rei-no de los cielos». Pero no. No vale la pena perder tiempo en este asunto. Está en los catecismos, Profesor.)

Tomás Manuel habla de Domingo y yo relaciono lo que me cuenta con la utilidad de ciertos hombres sin protección y de ciertos pájaros con las alas cortadas al servicio del cazador. Son criaturas empequeñecidas –como el pobre, como el malnacido– y también para ellas se podría escribir otro catecismo. Pero dejemos consideraciones marginales, especialmente esta primera velada en la casa de la laguna. Habrá otras en la misma sala que da a la terraza o en la bodega del sótano, conocida con el nombre de *bodegón*[1]. Al día siguiente (a las seis en punto, hospedera) volveré esta vez para penetrar en el valle y disparar a los gansos y a las zancudas, protegido por este hombre que, con una firma, un salvoconducto, me defiende (me defendía) de las balas de los guardas. Tiene (está vivo en alguna parte: tiene todavía) treinta y pocos años y sueña con un cadáver inmaculado. No es el momento para profundizar en el porqué. La respuesta llegaría más tarde, con aquel sabor a desafío que nunca le abandona:

–Los cementerios son de todos, la laguna sólo mía. Me encantan las exclusividades*.

Me despido de María de las Mercedes:

–Hasta mañana.

–Hasta mañana –responde ella.

–¿Otro vaso para el camino? –pregunta el Ingeniero.

---

1. En español en el original. En lo sucesivo se marca sólo con la cursiva. *(N. del E.)*

* Textual, como consta en mis apuntes. Tomás Manuel defendía el «principio de las exclusividades» que hace feliz socialmente al hombre. «Todo exceso es provocado por el deseo de exclusividad», sostenía él, aunque con otras palabras.

(Pero no le presto atención. Acaban de llegar a la plazuela dos camionetas, una de ellas con una balsa de plástico sobre la capota. Salen los cazadores y los perros.

–Se acerca la flota... se acerca la flota... –Yo me alegro desde esta ventana.)

Seis

La curiosidad, la terrible curiosidad que lleva al que oye leyendas y milagros a aparecer en los lugares prohibidos, me impelía hacia la casa de la laguna. Después de una narración tan feroz y tan complicada como la del vendedor de lotería, nada más natural que acercarme al escenario de la tragedia, para contemplar de cerca el albergue solitario. Sería el peregrino que viene de lejos, recibido por paredes vacías, por silencio. En el patio una silla playera abandonada, la lona podrida hecha trizas. En la galería, uniendo las enormes macetas de barro, telas de araña brillarían al sol. Un moscón pasa zumbando, un chillido de ave en la laguna. Otra vez la calma, la nada.

Pero en esta época del año los días acaban de repente (como estamos viendo) y había cosas que arreglar para el día siguiente, el alquiler de la barca, el permiso, una infinidad de detalles. Para inaugurar el tiempo de caza en la laguna, los preparativos llevan su tiempo, me enseñó la experiencia. Se necesita calma, orden lento, para ir con la conciencia tranquila y afrontar con dignidad la vanidad y deslealtad habituales en una batida de muchos tiradores.

Sobre todo en una batida en la laguna –subrayo–; y ese primer día, en esa ofensiva confusa. A menos que en medio de tanta algazara, haya bastantes cazadores de calidad, y en ese caso, en fin, siempre las cosas pueden cambiar de aspecto. Tengamos fe. Esperemos que sea una operación con un mínimo de disciplina y de inteligencia para no acabar tristemente en una girándula desesperada de fuego antiaéreo o en una carnicería. ¡Qué palabra, *carnicería*!

Así que, antes de nada, los preparativos. La visita a la casa abandonada podía esperar un día, un año, una eternidad, pues ya no tenía sentido, a no ser como un arañar de herida o de recuerdo. Sería bonito encontrarme forastero, con el sombrero en la mano, peregrinando por las ruinas donde tuvieron lugar las conversaciones de la laguna. Pero incluso esto (y es mi lado bueno el que habla, el cazador) no sería más que una curiosidad, un gesto generoso, muy apropiado, pero que no representa absolutamente nada fuera del espectáculo del que lo ejecuta. Así es. Por tanto déjese la casa en paz, déjese al Viejo y al Batidor, que es hacia la plazuela a donde lleva el camino. En la plazuela encontramos al Regidor, que está ante los arrendatarios de la laguna. De él depende ahora el permiso de caza, no de Tomás Manuel.

La plazuela estaba, como pueden imaginarse, desierta. Argollas inútiles, sol en su cenit; las mismas tabernas soñolientas, los mismos anuncios de pólvora y de guisos del año pasado y, en el fondo de cierta tienda, el Regidor, atendiendo a los clientes. Más allá de la puerta, la muralla continuaba con su leyenda y su orgullo al otro extremo de la plazuela. Como si dijera: «*Quod scripsi, scripsi...*» y fuese un imponente eco romano. «Lo que en mí está escrito, está escrito hace más de veinte siglos y ha de perdurar.

Aunque vuestros delfines estén muertos o vivos; o venga
el humo de vuestros tractores a oscurecer mi rostro; o los
eruditos de la región, abades y otros tales, me echen las excomuniones que echaren –yo, muralla, puedo con las
arrogancias y aquí estoy–. *Quod scripsi, scripsi.* Sólo acato
las razones de la Madre Naturaleza, las hierbas que me
agasajan y la compañía de los bichos silenciosos. Esta lagartija, por ejemplo.»

Y era verdad. Estampada sobre la inscripción imperial,
había una lagartija. Parda, inmóvil, parecía una astilla de
piedra sobre otra piedra mayor y más antigua, pero,
como todas las lagartijas, una astilla sensible y vivaz bajo
aquel sueño aparente. Pensé: «el tiempo, nuestro tiempo
mezquino».

Quedamos frente a frente, a la luz del mediodía: Yo, señor escritor de la comarca de Portugal, y por tanto animal
tolerado, marginal, y ella, ser humilde, portugués, que
habita las ruinas de la historia; que cumple una existencia
entre piedras y sol, y se resigna (es espantoso); que es, ella
misma, un fragmento de piedra engendrado en la piedra,
un resto, en fin, una sobra; que no se alimenta de nada
(¿de qué?) y es rápida en el despertar, y sagaz, y ladina,
aunque arrojada al aislamiento de una memoria del im-
perio; que no tiene voz, o la perdió, o no se oye... La lagartija, mi blasón del tiempo. Puedo encontrarla mañana en
el mismo sitio (tal vez todavía esté allá) o en las vigas del
solar de la laguna, o en un hueco de la bodega que ya fue
el *bodegón* de mis cenas del año pasado con el Ingeniero
y no lo será nunca más. Puedo, simbólicamente, imaginarla en lo alto del portal, puesta sobre la leyenda *Ad
usum Delphini,* porque en todos esos lugares estará perfecta en su modestia abstracta, como la imagen de un
tiempo o de una edad en la que los años transcurren aje-

nos a la mano del hombre y en la que la hierba crece y muere y se dice: Al fin y al cabo también tenemos primavera.

Pasan dos viudas-de-vivos con cestos de ropa en la cabeza: «Tiempo... Primavera...» ¿Qué es el tiempo para estas mujeres? ¿La duración de un luto, de una ausencia? ¿Y para el Ingeniero? Una velocidad ansiosa... un Jaguar, seis mil revoluciones por minuto que lo llevaban a la ciudad y lo vengaban de ella.¿Y en lo que respecta a los campesinos-obreros que trabajan en la ciudad? ¿Y para el Regidor? ¿Y para mi hospedera, santa matrona de boquita recatada? ¿Y para mí, que soy señor escritor?

Pregunto y llevo la respuesta conmigo, en un pedazo de papel que traje hace poco de la tienda del Regidor, un permiso de caza concedido por orden de los habitantes de la aldea, y no por Tomás Manuel, el Ingeniero. El tiempo, el legítimo sentido del tiempo, está en esta prueba. La lagartija se ha sacudido en su sueño de piedra.

–Fuimos a la plaza en nombre de los noventa y ocho hombres –declaró el Regidor cuando lo busqué en la tienda, después de abandonar la muralla y la lagartija. Y así daba igualmente la medida del tiempo. Nótese: él, como jefe del pueblo, hacía mucho tiempo que era una autoridad. Conservaba en su casa el sombrero en la cabeza, tenía el establecimiento forrado de edictos e incluso el olor de sus ropas era el mismo de siempre. Pero, como en el momento actual representaba la laguna y los noventa y ocho campesinos, estaba investido de nuevos poderes. Por eso se mostraba tan preocupado.

–Cerramos la mejor oferta por tres mil. ¿Su excelencia viene para muchos días?

Quería estar al corriente de todo, de los cazadores que

habían llegado, si tenían barcas y de qué clase; pero lo hacía con el empeño de un procurador esforzado que se encuentra de la noche a la mañana con una herencia que gobernar.

–¿Quién podía imaginarse que alguna vez pudiera quedarme con la laguna? –preguntaba mirando a lo lejos, a la plazuela–. Es verdad que no tuvimos que enfrentar al Ingeniero, pero, ¿quién lo hubiera dicho? Sólo para escopetas forasteras ya he concedido veinticuatro permisos.

Tratándome de Su Excelencia, me contó las muchas dificultades que tuvo que vencer, él y los noventa y ocho, para unirse en cooperativa ante la ley. Los oídos le brillaban en medio de la complicación de instancias y gastos que enumeraba con gusto y, de cuando en cuando, se ponía a hablar de aquella manera, mirando por encima de mí, hacia la plazuela.

–¿Podrá el turismo apoyar una cosa de éstas? Y si la apoya, ¿será necesario algún impuesto especial? ¿Qué le parece a Su Excelencia?

No descansaba, ponía cuentas sobre el mostrador, recibos, comunicados de la Cámara y de la Oficina de Caza. Por último la lista de los asociados:

–Tenemos un médico de la ciudad... También vino el profesor. Aquí, más abajo, está el cura... *número veintiuno, Reverendo Benjamín Tarroso,* y estos tres son guardaríos. Si todo va bien somos capaces de abastecer de caza a Lisboa.

Apretó los ojitos:

–Despachándola en la camioneta de las ocho y cinco, la tendríamos en Rossio a la hora de comer. –Y después–: Lo peor es si tiene que pasar primero por alguna inspección.

Me senté en un saco de alimentos, entretenido, por una parte, con el desorden que lo rodeaba –sal, telas dulces, la placa de una *Compañía de Seguros, Agencia,* jabón, arreos amarillos colgados del techo, raticidas, un arado en la puerta, edictos en las ventanas–, el inventario insondable de donde emergían sus ojillos escrutadores. En vez de pudor una joven a colores besando un perro: *John M. Da Cunha – Grocery Store & Meat Market – Newark, N. J.,* y aquello era un eco distante, la presencia de los vivos que se afanaban en otros continentes con el pensamiento en las viudas y los amigos de Gafeira. A Mr. Da Cunha le gustaría saber las últimas noticias de la laguna, estoy seguro. Y a los patricios del Canadá también. Y a los de Alemania –añado–; y a los de Francia; y a los del Brasil; y en el mismo infierno muchos tomarían una copa en honor de los noventa y ocho y de su Regidor delegado.

–El asunto se resolvió con la máxima legalidad –se enorgullecía continuamente–. Nada de política, nada que no fuese rigurosamente legal.

Se preocupaba de todo, de lo posible y de lo imposible. No se le ocultaba lo difícil que era la barca de la laguna y la gobernaba desde aquel mostrador, muy atento, muy sereno. Miraba recto, al frente, hacia la muralla donde una lagartija, inmóvil por mucho tiempo, podría despertar en un rasgo inesperado y lanzarse a la vida con la misma astucia con que él, Regidor, se lanzó desde el fondo de su tienda a la posesión de la laguna.

Siete

Los perros. (Han entrado dos en el café, precedidos por una joven con pantalones de amazona.) «Los perros son la memoria de los dueños.»

Nosotros, ante esta afirmación de los entendidos (entre ellos el vendedor de lotería de Gafeira), nos ponemos a idealizar a los buenos animales como mandan los grabados escolares: salvando a uno que se ahoga rondando al enfermo o presintiendo su muerte entristecidos. Pasado un tiempo nos los encontramos haciendo guardia a una cama vacía, con prolongados ayunos que son su luto afligido, y después empiezan a correr noticias de aullidos y de fugas, con ocasión de esta o aquella fecha, de este o aquel acontecimiento relacionado con la vida del difunto. Así es la nostalgia de los fieles compañeros del hombre, los perros. Así prolongan ellos el recuerdo de los muertos en la sociedad de los vivos. Aprended, niños de mi país.

Pero antes de ser memoria, recuerdo, los perros son la imagen de los dueños, de quienes imitan la autoridad y los vicios. Los «lulús» con lazo al cuello, con la misma expresión que las viejas pintadas que los arrullan. Los perros-policía de GNR[1], insaciables y sanguinarios. Los vagabundos, siempre ladinos e imaginativos. El perdiguero del Batidor infalible con las botas cardadas del dueño y con los remiendos de los pantalones de algodón. Tal perro, tal señor –está dicho y redicho.

Tal como verifiqué en el café, cuando el viejo de un diente contaba los crímenes de la laguna, el perdiguero del Batidor era un animal sin vanidad que tenía en los ojos resignados el hambre y el recelo de los humildes. Y sin embargo, tenía buen aspecto, era evidente. La pata sólida de esforzado andador, la columna perfecta, una cabeza cuadrada y huesuda. Hermosa cabeza, realmente, infeliz, pero hermosa; una valiosa caja de olfato servida por una nariz hundida, de dos conductos. Ante una perdiz, tenso y con el rabo tieso, este perro sería una línea que prolonga el arma del cazador por los dos conductos del hocico. Certero en compañía del Batidor, unido a él.

Así también ante los mastines del Ingeniero (y sin duda ante los dos setters que están en el café con la joven amazona), lo que intriga es el instinto de clase de los perros de las casas acomodadas, la manera de defender al pobre y la manera de emparejar con el rico, aunque no lo conozcan. Reconocen por el olfato el sudor de la miseria, es lo que se deduce. Y por el mirar la timidez. (¿Cómo se portarán los dos setters ante el perdiguero del Batidor?) Hasta entre los perros la ley general es sencilla, se atraen o se repelen según la autoridad con que están dotados, porque todos llevan el olor del hambre o de la abundancia de los dueños. Tenía razón el Ingeniero al desconfiar de aquel a quien no le gustasen sus perros. Y yo todavía con más razón me interesaba por el asunto porque gracias a los perros me llamó por pri-

---

1. Guardia Nacional Republicana, policía rural. *(N. del E.)*

mera vez la atención el matrimonio Palma Bravo, allá, en la
plazuela; y fueron ellos también (opinión del Viejo) los últimos en abandonar la laguna. Por algún motivo soporté
hoy tantas historias de fantasmas y perros mancos.

–Una vez cerrada la casa, alguien se llevó los perros a la
fábrica. Siendo robustos y además con morriña de los
dueños, era de esperar que, a la primera ocasión, volvie-
sen a la laguna. No veo dónde puede estar el misterio de
las apariciones, como dicen por ahí. –Relato de la dueña
de la pensión.

–Lo que tienen estos mostrencos es veneno en las entrañas. Sólo su baba es capaz de deshacer las cadenas más
fuertes. –Batidor.

–Perros del demonio, que tan pronto aparecen en la
punta de los tejados como andan allá abajo a orilla del
agua. –Viejo de un diente.

–Es decir que, a falta de los Palma Bravo, ellos se hicieron cargo de la laguna... Tampoco está mal, no señor.
–Dueño del café.

–Se habla de fantasmas. –Viejo.

–De perros fantasmas. ¿Quién puede ser el perro manco que aparece sino Domingo, el mestizo? –Batidor.

En esta barahúnda de almas en pena, el rostro del Ingeniero se apagó –«desapareció», como dijeron en seguida que llegué– dejando al Lord y la Maruja haciendo pe-
nitencia por los desvaríos que el dueño y sus antepasados
cometieron. Y si realmente Tomás Manuel no está ahora
en Lisboa, una de dos: o «se estrelló con su coche en algún
ribazo...» –hipótesis del Dueño del café– «o huyó al ex-
tranjero» –Viejo de un diente.

Asentí a todo, y continúo haciéndolo. El vendedor de
lotería predicaba injurias y el Batidor decía amén. Descri-
bían e interrogaban con malicia de bellacos, con intrigas

de pura diversión. Abriendo mucho los brazos, el Viejo hacía revolotear las dos tiras de lotería (su estola de celebrante) y el amigo, acólito fiel, cuando no lo confirmaba de palabra, bajaba la cabeza: amén, amén. Tal vez están todavía allá para indignación de mi hospedera y para diversión de los otros cazadores. Pero, por lo visto, la joven de los pantalones de amazona se cansó: ha salido, calle arriba, y los dos setters que la acompañan hacen buena pareja con ella, son un prodigio de belleza tranquila.

Allá va, fumando, desinteresada y cada vez más distante de los posibles odios que se tejen en el café –guerra y guerra, vocifera, si es que aún lo hace, el Viejo–. Y en esta batalla de tan locas proporciones –abuelos contra nietos, hidalgos contra hidalgos y un duende mestizo de por medio– los setters de buena figura están de más; afecto, servicio, no es para ellos. El afecto está en las cartillas de escuela que el vendedor apenas tuvo el honor de deletrear, para su desgracia, y en las que no caben un Lord y una Maruja que son perros-policía y no perros de cartilla. Para eso, son mejores los cachazudos San Bernardo que patrullan por la nieve con un barrilito de coñac al cuello o un podenco valiente que salva a un niño desprevenido de la corriente del riachuelo. Aquí, como en todo, cada cosa en su lugar. Pastores y San Bernardos en los libros de infancia, perros-policía en un manual de linchamiento. (Y, ahora, los setters están al lado de la muchacha de los pantalones de amazona.)

Sin embargo, sucede que entre perro y dueño no hay solamente sentimientos. Hay servicio, propiedad, ostentación de poder, como lo prueban (entre las anotaciones de mi cuaderno):

a) El caso de un Palma Bravo, uno de los más antiguos, no sé cuál, que decía que por los ladridos de los perros se conoce la categoría de la casa. Subrayado *por los ladridos de los perros.*

b) El padre Benjamín Tarroso, párroco de Gafeira, que declara que prefería cazar a pie con el criado que llevar consigo el perro más fino (se apoyaba en Bergson y, si no me equivoco, consideraba el instinto como una forma primaria de la dedicación).

c) La parábola de la hija desobediente, contada por el Ingeniero con las sabias palabras del tío Gaspar, padre desventurado: «Un hombre lo da todo menos los perros y los caballos».

Finalmente, d) la definición de Domingo: un individuo que trataba a las máquinas como si fuesen animales y que dominaba a los perros como si fuesen máquinas. «La precisión requiere un instinto especial, y este tipo lo tiene. Si nos fijamos bien, la fidelidad de los perros se mide por la prontitud, esto es, por la precisión con que reaccionan a los estímulos» –comentario (aproximado) de Tomás Manuel el día que Domingo limpiaba el motor del Jaguar.

Podría decir más. He llenado páginas y páginas con recuerdos de la laguna y hasta con citas de libros antiguos, sentado a esta mesa. Pero he aquí que, cuando traigo mi cuaderno de Lisboa y me preparo para llenarlo como antes, a gusto y meditando, el mundo de antes desaparece y me deja en una ventana, con los brazos caídos, aturdido. Ya no tengo a Tomás Manuel como modelo vivo, como pan de mi curiosidad. Ni a María de las Mercedes. Ni a Domingo que se ha transformado en perro cojo. Nunca más las veladas de la laguna tendrán aquel deslizarse –blanco y espeso–, el gusto suave de ginebra, como yo decía tantas veces.

Por eso, si pretendiera añadir a mis puntos una sola idea, una palabra, sería, como el Abad de la *Monografía,* narrador de tiempos muertos. Hablaría necesariamente de ruinas, mezclaría refranes y proverbios, poniendo en boca del hijo los que pertenecían al padre, o al tatarabuelo, en un tumulto de espectros en rebelión. Y así, para completar, invento una leyenda del tipo *Ad usum Delphini,* peor. Me acerco más al estilo de los doctores de agua bendita, a los que encabeza el siempre respetado don Agustín Saraiva, mi precursor en las memorias de Gafeira. *Miserere mei.*

Ocho

Más perros. (Señores, éste es el país de los perros.) Están ladrando en el patio de atrás, donde los han reunido los cazadores.

Excitados por el viaje y por la compañía de la escopeta y de los cartuchos, percibiendo, y de qué manera –por el vestido de los amos, por las atenciones especiales que de ellos reciben– el destino que les espera, los perros han soñado durante todo el viaje con rastros en la maleza, madrigueras que huelen a tibio y con alas perdidas derramadas por el río. Por eso protestan encerrados en el patio de la pensión, cada vez más inquietos a medida que va cayendo la tarde. Llaman a los amos, pretenden que se acuerden de ellos y marchar sin tardanza. También ellos son cazadores, tienen orgullo y, en cierto sentido, representan a los amos en aquella asamblea.

Lo que importa es que, para que pueda yo descansar, se callen al anochecer. Entretanto están en perfecto derecho de considerarse representantes, memoria, prolongación y todo lo demás que les parezca en relación a quien les da sustento y caricias. Incluso tienen muchos argumentos en

su favor, empezando por Jenofonte, 400 años a. C., quien
descubrió que Dios, habiendo creado al hombre y encon-
trándolo pobre, debilísimo, le dio como regalo el perro.
Pero no es éste el momento de citar a Jenofonte. No sería
decente manchar a un guerrero con citas menores. Él nunca diría que los perros son la memoria de los amos, ni nada
semejante, ni enseñaría a los honrados labradores que se
les permitía darlo todo menos el perro y el caballo. Tenía
otra sabiduría, el grandísimo hijo de su madre. Era un
magnífico guerrero de las letras. El grandísimo.

«Darlo todo menos los perros y los caballos...» ¿Quién
habla así?

El Ingeniero. Es su voz, aunque mudada por el vino y
avanzando a duras penas entre las frases de una historia
de amores y castigos. Historia enmarañada como un
diablo y tanto más al ser contada con voz de vino. Sí que
es él, sí. Es, sin poner ni quitar nada, el vocabulario de
Tomás Manuel en acción. Sin embargo presiento que alguien está detrás de él, alguien va tomando forma a
través de las palabras que me llegan, y así es, tal como
pensé: poco a poco se dibuja una silueta negra que
emerge de la niebla de la laguna, cada vez más solemne,
más nítida...

–El tío Gaspar –suspiró en voz baja–. El hidalgo del
brillo que cegaba.

–Silencio –musita el Ingeniero–. ¿No ves que viene cargado de luto?

–Luto, ¿por qué?

–¡Cuerno! ¿He estado hablando con un muñeco o qué?
Luto por la hija que lo deshonró, ¿por quién había de ser?
Cuando dijo que lo daba todo menos los perros y los caballos, tenía sus razones. –Me mira de frente–: ¿Puedo
continuar?

Llenamos los gruesos vasos de taberna antigua direc-
tamente del barril y, entretanto, escucho la parábola de la
hija descarriada (exactamente con las mismas palabras y
los mismos apartes con que me la contó, una noche, el Ingeniero), la figura del tío Gaspar se va acercando más a
nosotros, simples mortales.

Me levanto de un salto:

–¡Caray! ¿Estar en la bodega y no beber? ¿Dónde está la
guitarra?

Tomás Manuel me coge por un brazo.

Respeto, amigo, respeto, que se trata de la honra de un
hombre, coño.

Deja caer la cabeza, se queda unos momentos en silencio
en memoria del hombre en cuestión. Después con un tono
cansino, conmovido, retoma la historia, se corrige, vuelve
atrás, mojando la palabra constantemente. «El tío Gaspar
hizo... sucedió... que el tío Gaspar...» Y el caballero labrador
va recorriendo la parábola, el pasado. Lleva camisa negra
de viudo, chaleco forrado de seda. Tal vez se vuelve, con los
puños cerrados, irritado por la afrenta de la heredera, nombre de su nombre, carne de su carne, que huyó con un pícaro. Treinta años antes, en reunión de familia, mientras los
demás bebían sosegadamente, nuestro hombre comunica-
ba su decisión de renegar de la hija por siempre jamás. Y la
familia bajaba los ojos; deshonrada por amores tan rebeldes;
y en esta bodega tantos recuerdos pintados en las paredes y
hasta un cartel de Manolete; y el brioso Gaspar, cada vez
con más saña, echaba al fuego retratos, cartas, vestidos,
todo lo que le recordase a su hija, fuese lo que fuese; y de repente, un vacío, una polvareda luminosa. Entonces le oímos
toser, aclarar la voz y, serenamente, llamar al criado más
viejo y de mayor confianza: «Fulano, aparéjame al Cadete y
ven conmigo. Espera, trae también a la Pardala».

Por la puerta que da al patio entran insectos nocturnos. De cuando en cuando la voz de búho –mala señal para los amantes en fuga–. En fin, no nos precipitemos y bebamos por la justicia. El tío Gaspar (me previno Tomás Manuel) no era hombre que dejara que le measen las botas. Más aún:

–Nadie podía mirarle a los ojos. Cuando los abría eran de fuego.

Volvemos a llenar los vasos, y entonces me doy cuenta de que el hidalgo ya se ha ido hacia fuera de la finca, llevando de la brida al mejor caballo. Había mandado que le pusieran silla blanca, de gamuza, estribos labrados y arreos con hebillas de plata. Pardala, la galga más fina, lleva el collar de ceremonias. Van andando, en procesión, amo, animales y criado, andando hasta que se paran al lado de un foso que servía de límite a la finca. Silencio sepulcral. Yo y Tomás Manuel nos quedamos con los vasos en alto.

–El tío Gaspar –vuelve a cuchichear mi compañero– nunca daba cuenta a nadie de las decisiones que tomaba.

Comprendo, comprendo. Y así es, el viejo sigue sin decir palabra, está quieto mirando hacia cualquier punto más allá de los límites de sus dominios. ¿Estará rezando? –pregunto– . ¿Medita? «¡Chitón!» Tomás Manuel llama mi atención hacia la mano derecha del fallecido tío Gaspar. De aquel bulto rígido, obstinado, sale lentamente un revólver engatillado. La mano está quieta unos momentos; después, siempre con la misma lentitud, se acerca a la Pardala, a la que el criado sujeta por la traílla, y la mata de un tiro en el oído.

Vuelvo la cabeza hacia un lado.

–Irra...

–Un momento –advierte Tomás Manuel–. Todavía no se ha acabado.

No. Hay más. El tío Gaspar se dirige ahora al caballo, duda. Le tiemblan los dedos; de repente se vuelven más viejos y enjutos. Se oye un disparo, otro y otro. Tiene que vaciar todo el cargador para acabar con el animal. El bello y leal Cadete yace en medio de un charco con las patas arriba y los ojos asustados. Se acabó. Yo y mi compañero bebemos un trago de alivio.

Moraleja de la historia, concluye Tomás Manuel: el tío Gaspar, con aquel sacrificio, pretendía verse libre para siempre de todos los compañeros en los que había confiado. Perdió la fe en la fidelidad, de allí en adelante quería estar solo.

(Afirmación infundada, noto en seguida, porque quedó el criado de confianza. Pero, ¿para qué disgustar más al caballero Gaspar?

–Cállate –diría el Ingeniero–. Se trata de un hombre.

–Y entonces volveríamos a empezar.)

Nos encontramos cada uno en su banqueta, en la bodega conocida por los amigos con el nombre de *bodegón*. En las paredes hay varios nombres escritos: *Sidonio / Gatucha;* fechas; dibujos comentados: «*Ésta es la Mercedes... ¡Viva tu madre!*[1]»; versos de ocasión. Encima, el cartel de la célebre corrida de Linares en la que Manolete perdió la vida.

El labrador de brasas en los ojos se esfumó. Lo habíamos dejado atrás al lado de un charco, la cabeza levantada, revólver humeante, velando orgullosamente los cadáveres del caballo y de la perra. Para que haya desaparecido así, tan misteriosamente, tal vez es que ha vuelto a ocupar su lugar en el purgatorio. A menos que prefiriese ir a ajustar cuentas a otra parte y se metiese en el pinar para lu-

---

1. *¡Viva tu madre!:* en español en el original. *(N. del E.)*

char con los restantes Palma Bravo y contra todos los perros que los acompañan. (Sinceramente, ya es hora, y más
que hora, de poner fin al alarido de los perros de este patio. ¿Dónde se habrán metido los cazadores?)

–Escucha –interrumpo–. Hay perros en la laguna.

El Ingeniero insinúa una sonrisa:

–Son los míos. El que entiende de animales hasta por
los ladridos los conoce. –Levanta el vaso al trasluz–. El tío
Gaspar era listo. Y de mujeres, va...

–¿Cómo dice ese refrán? *A la cabra y la mujer...*

–Presumía de conocerlas por los dientes –continúa Tomás Manuel–. Hombre, no es para reírse.

Nos tuteamos, como es costumbre entre la gente que cul-
tiva la camaradería delante de todo el mundo. *Tú* aquí, *tú*
allá, viejos amigos, hermanos de la misma estirpe. Tú,
Ingeniero, discurriendo sobre los dientes y sobre las mujeres; yo bebiendo en el frescor de una bodega rodeado de paredes dibujadas. Pero, ¡qué cartel de muerte, el de Manolete!

–Dientes, estamos hablando de dientes...

Tomás Manuel prueba por sí y por no que son una referencia como cualquier otra. (Obsérvese la manera
como el médico estudia la boca del enfermo, obsérvese al
conocedor de ganado.) En unas encías se puede leer un
pasado de hambre o las atenciones de los dentistas en las
brillantes coronas de oro, al aventurero o al emigrante;
en los dientes mal distribuidos, una infancia sin cuida-
dos. Nada de extraordinario, demuestra el Ingeniero. No
es razón para reír, no hay el menor asomo de chiste en
eso. Los dientes son una verdadera certeza para el que
aprenda a descifrarlos, y el mismo Tomás Manuel acabó
por hacer este entrenamiento con las muchachas de los
clubes.

–Abre la boca, hija.

–Por los dientes –dice él– calculo los años de burdel, adivino el origen social (no siempre), calculo la edad de las fulanas (no estoy bromeando, palabra), calculo el rayo que las ha de partir a todas y a mí con más razón todavía que les doy confianza. Pásame tu vaso.

Se acerca al grifo del barril, bajo un azulejo en el que se lee: *«Agua para los peces, vino para los hombres»* («*Y mierda si no te gusta*»[1], escribió alguien a continuación).

–Cualquier día te llevaré a unos sitios que yo me conozco –insiste él, mientras llena los vasos, de espaldas a mí–. Conozco gentuza que te serviría para una docena de novelas.

–Estupendo –respondo–. Estupendo.

–Gente excelente, como mi amigo Pepe Ignacio, que arregla automóviles y sabe de la vida como pocos. Amigo, el mundo es bestialmente sencillo. Vosotros, con la literatura, sois los que tenéis la manía de complicarlo.

–Ningún escritor tiene la manía de complicar. Ningún buen escritor, por lo menos.

–Ah, sí, simplifican, ¿no?

–Tampoco. A ningún escritor le gusta complicar nada, y todavía menos simplificar. El acierto está en ese rigor –insisto–, y su martirio –añado, bajando la voz.

Tomás Manuel se sienta en la banqueta.

–¡Ay, ay! Estás aquí disparándome con Sócrates. Con Jenofonte, quiero decir. Hace varios días que no hablas de Jenofonte.

–Peor para ti porque de hecho era un gran cazador.

–Sí, y un gran escritor, según me enseñaron en el colegio.

–Corresponsal de guerra –continúo yo.

–Militar...

---

1. *Y mierda si no te gusta:* en español en el original. *(N. del E.)*

–Filósofo guerrero. Un valiente, un grande, un etc., etc., filósofo guerrero.

–Tú sí que sabes. Tú eres el escritor. Sin duda.

–Gracias. En mi nombre y en nombre de Jenofonte…

–…que se reía de los antiguos –completa Tomás Manuel.

–Sí. Escribía sobre la vida con un placer que no puedes imaginarte.

–Y sobre la muerte.

–Ya lo hemos dicho. Si era un corresponsal de guerra escribía sobre la muerte.

–Perdona, me había olvidado –responde mi compañero–. ¿Política? ¿No escribió también sobre política?

–Claro. Sobre política, sobre la educación de los príncipes. –Suspiro–: Me haces viejo, ¡caramba!

Tomás Manuel baja los ojos hacia el vaso, se queda callado unos momentos. Después:

–No hay duda de que tengo que leer tus libros.

–Mal asunto. Sobre mis libros pido tregua.

–Hablo en serio. ¿Cuál te gusta más?

Me cargo de paciencia. Le respondo que me gustan todos los libros que he escrito, de manera y por razones diferentes; que en todos falta algún rasgo de la fortuna para hacerlos definitivos, acabados, y por eso nunca puedo abandonarlos, y por eso me gustan todavía más. Además –explico– cada novela tiene sus recuerdos aparte de las aventuras que cuenta, cada uno crece con el tiempo, corrigiéndose igual que el cuerpo y la voz del hombre que lo escribió. Eso, lo que hace feliz en el arte de escribir son los recuerdos unidos a una obra y la certeza de llevarla siempre con nosotros, detenida, inacabada. Stop, Ingeniero anfitrión. Se acabó. Vamos a dejar en paz mi prosa y el placer vigilante que la acompaña vida adentro, entre otras razones porque las considero detenidas, inacabadas y siempre perfectibles. A ningún escritor le gusta hablar de lo que ha escrito a no ser en ocasiones muy, pero que muy especiales. Nadie –subrayo– hace libros para complicar la vida.

–*Okay.* No se hable más de eso.

Inclinado, con los codos sobre las rodillas, hace girar el vaso entre los dedos. *Agua para los peces, vino para los hombres,* leo por encima de él, en la pared. Y *mierda si no te gusta* la compañía de un agrónomo tan obstinado, tan avinagrado –es la palabra, ya que estamos bebiendo vino. Podríamos haber escogido otro tema, y tal vez sea el momento de hacerlo.

–Decidido, no se habla más de tus libros. ¿Conoces a Pacita Soares?

–¿Quién? –pregunto.

–A María de la Paz Soares. Una que escribe. Todos los años publica un libro de poemas y todos los años cambia de amante para mantener los cuernos del marido en forma. Es público, todo el mundo lo sabe.

Me fijo en el nombre:

–María de la Paz...

–Seguro que la conoces. No hay quien no conozca a esta cabra. –(Un momento: ahora Tomás Manuel expondrá uno de sus pensamientos favoritos, el de la cabra y el de la brida corta)–. Poesía de alcoba –continúa él–, ¿me oyes? Poesía para esas literatas de facultad. Por eso si yo tuviera una hija habría de estar hecha para el matrimonio. ¿No crees? Ea. Y ¡ay de ella si pusiese cuernos al marido!, que sería como ponérmelos a mí mismo. Sin duda. Para la cabra y la mujer, brida corta hay que tener.

El Ingeniero anfitrión había llegado al vaso que sería, en él, la medida de la maldad. En las veladas de la laguna me di cuenta de que, en cierto momento, se ponía blanco y desdeñoso. Tan pronto se dejaba arrastrar por una conversación soñolienta, como ponía, brusco y sagaz, una zancadilla al oyente desprevenido. Ya está a punto. Ahora empezará lo bueno.

–Escucha. –Se pone muy cerca de mí, con una especie de desafío manso en el rostro–. Puedes llamarme primario y todo lo demás que los intelectuales dicen de las personas que no piensan como ellos. No me importa. Me desentiendo, *d'accord*? Pero esto... –golpea con dos dedos su cabeza–, no hay teoría en el mundo que lo justifique.

Entra la vieja criada con una bandeja de salchichas y borona caliente, que humea al partirla. Nos servimos. Tomás Manuel se balancea en su banqueta.

–Poesía de cuernos... Cuernos con poesía... Poesía obligada a cuernos... –Se incorpora–. A la salud de los poetas que hacen florecer los cuernos de la humanidad. ¡Hip, hip, hip, hurra! Aniñas, pon aquí otros vasos.

–Está buena esta salchicha.

–Claro, se nota la mano de Aniñas... –El Ingeniero atrae a la vieja a su lado, la abraza por la cintura–. Aniñas, ¿sabes lo que es la poesía de cuernos, *c'est-à-dire, la véritable poésie des cocus?* Ya se ve que no lo sabes. Pues, entonces, estás arreglada. Ve a buscar una banqueta y come aquí con nosotros.

La vieja rehúsa, un tanto ceremoniosa e intrigada, pero se queda con las manos cruzadas delante del delantal, satisfecha de vernos comer. Es pequeña, muy morena y con una barriga abultada. Cuando se despide, Tomás Manuel me toca en el brazo:

–Veintitrés años trabajando para un marido paralítico. Y si le preguntas, te dice en seguida: «¡Qué se va a hacer, niño!, ¿acaso el matrimonio no es un contrato?» Pero de eso no habla la poesía, *la véritable poésie des cocus.*

Estoy de acuerdo. No hay razón para no estarlo. Saboreo la salchicha, adobada como debe ser, poca grasa, fuego en su punto, y tengo detrás del Ingeniero anfitrión una hilera de barriles de vino presidida por el cartel de Manuel Rodríguez, *Manolete,* fallecido el 28 de agosto de 1947, *a las cinco de la tarde*[1], hora de Lorca y de Ignacio Sánchez Mejías. Lorca está muerto, Ignacio, también; ya lo estaba en aquel cartel de la corrida fatal de Linares, antes incluso de haber entrado en la plaza y de tener a su lado los nombres de Dominguín y Gitanillo de Triana, felizmente vivos, y los sagrados toros Miura, que son catedrales de la Inquisición para que dominen grandes obispos. El cartel parece un exvoto. Es francamente malo. Ya tenía el aspecto tosco y funerario de los exvotos cuando todavía no era más que un anuncio de corrida o un edicto de contrato con la muerte. Esto si se admite que tiene sentido hablar de contratos en una ocasión como ésta...

En la aldea, a tres kilómetros de la casa de la laguna y del *bodegón,* varias jóvenes campesinas duermen solas en sus camas de casadas. Pienso en ellas (en las viudas de vivos que hace poco subían la calle con cestos de ropa en la cabeza), pienso en sus bodas comprometidas ya que sabían, estaba decidido, que pronto sus maridos partirían hacia las minas de Alemania o hacia las fábricas del Canadá, y no les quedaría más que, vestidas de luto (así lo mandan las costumbres, el contrato), soñar en ellos y en la hora del regreso cuando pudiesen quitarse la negrura que cubría su muerte oficial.

–En otros tiempos –digo a Tomás Manuel–, los jugadores apostaban sus mujeres en el juego. ¿Lo sabías?

1. En español en el original. *(N. del E.)*

–Sí, creo que sí.

–¿Y si perdían?

–Si perdían, las entregaban. ¿O crees que por eso eran cornudos?

–Creo –respondo– que, según tu manera de ver, quebrantaban el contrato.

–¿Contrato? No entiendo. Creo que he bebido demasiado.

Nueve

Para ser sincero, también ahora me apetecía beber. Probar el aguardiente de la cantimplora, o mejor, el vino de la laguna. Vino grave, espeso y tan suave, ¡qué nostalgia, vino!

Aunque fuese frente a un cartel de muerte, aun a riesgo de escuchar parábolas de hijas trastornadas y con lecciones sobre los dientes de las prostitutas de bar, aun así, ¡qué vino! Pacita Soares y la poesía de los cornudos, si la hay, no pueden nada contra él. Y la bodega, mejor dicho, el *bodegón,* aunque abandonado a los ratones y al desprecio, seguirá siendo para mí la cisterna de sabor ponderado que se repite gota a gota igual y seguro –un camino de color navegando en el tiempo y el recuerdo, en cuyo extremo Tomás Manuel, con la mano en el grifo, va llenando vasos y más vasos.

–Uno más, vaya. No me digas que eres de los que se rajan.

El Ingeniero anfitrión tiene el beber autoritario de los hombres acostumbrados a prolongar las horas y la compañía. Una noche (supongamos aquella en la que me contó las desgracias del caballero Gaspar) es capaz de navegar en vino manso, camarada y a punto de dormirse, y en un dos por tres volver al principio, casi fresco:

–Vamos a beber unas copas, y al salir el sol vaciamos una cartuchera en la laguna. ¿Y la guitarra?

Diablo, si le da por ahí se vació la botella, como se dice en lenguaje de bar, toda prudencia es poca. Conviene dejarlo. Que toque y que beba y que repita las veces que quiera la parábola de la hija trastornada. Prudencia, recomiendo y vuelvo a recomendarme a mí mismo, mientras él busca la guitarra por encima de las macetas. Mucho tacto. Hay entre los frecuentadores de bar quienes al quinto whisky solo están acabados, nos parece a nosotros, y empiezan a animarse, a animarse, y sólo a la décima copa decaen otra vez. Que alguien se meta con ellos, que lo pruebe, y verá qué desengaño se lleva. Porque bebedores tan adictos no son tontos: tienen el instinto dirigido hacia los que quieren aprovecharse del vino y de su intimidad. Si están bien dispuestos son perversos como cocodrilos adormecidos y arreglarán sus confidencias de manera que puedan sacar, ellos del curioso, una confidencia que les interese. Los barmen podrían escribir un tratado sobre este asunto. Y diez tratados si quisieran. Una enciclopedia como la británica *by appointment to His Majesty* Johnnie Walker Etiqueta Negra.

–Tomás, no sabes con qué gusto tomaría un whisky –suspiro ahora para mis adentros.

–Sírvete –me grita sentado en los escalones que dan al patio mientras afina la guitarra.

Pero estamos en el *bodegón,* y en el *bodegón* se bebe vino. (Whisky aquí en la aldea, sólo, tal vez, en el café, y Dios me libre de ir a meterme en medio de los cazadores del viejo vendedor.)

Voy al grifo del barril de donde nos hemos estado sirviendo, y bebo un trago largo: por los barmen, por esos comandantes del placer que conocen de lejos a los exploradores de confidencias de los borrachos. Gloria, tres veces gloria, canturreo para mí. Pero me arrepiento en seguida, pongo el vaso con fuerza sobre la mesa. *Gloria*, nunca, *Gloria* es una palabra de iglesia. Los barmen no tienen nada de sacerdotes. Ab-so-lu-ta-men-te nada. Son sólo confesores y madres de los débiles para los presuntuosos que creen que el mostrador es un muro de lamentaciones. Estaría bonito cura, madre y confidente al precio de medio whisky con agua.

–Ningún escritor nació para complicar la vida –mascullo.

Tomás Manuel continúa inclinado sobre la guitarra.

–¿Has oído, Tomás? Ningún escritor nació para complicar esta sucia vulgaridad en la que estamos metidos. Y los barmen todavía menos. No hay nadie a quien le guste complicar. –Escupo a un lado–. Nadie.

Me da mal gusto de boca el sólo pensar en los ingenuos que buscan cura, madre y confidente en un barman, en un hombre de mano certera y educada para dominar sucesivas dinastías de Johnnies Walker, Vats Victoria, Gordons, Vintages, Stolichnayas & compañía. Un barman, con todas las letras, es un individuo que tiene la profesión de comandante del placer, que se preparó para eso con el sentido exacto de la medida y la discreción. Excusa perfectamente desgracias y arrogancias. ¿O no? Escupo de nuevo, tengo la boca seca, sin gusto. Tal vez no esté mal medir el vino y dejar para otra ocasión a los muchachos de medio-whisky-por-una-confidencia. (Me despido aquí de todos ellos con un simple trago de mi cantimplora si es que la hormiga-reina me la ha traído bien llena de aguardiente. Ya debería estar aquí con toda la sutileza que le dan los soromeños.

Ando unos pasos por el cuarto. Recuerdos y peras silvestres, suspiro. Y todavía es media tarde. Que Dios perdone a los ingenuos muchachos, si es capaz de eso, y que los barmen de Chiado y muelles de Sodré tengan la tradicional magnanimidad de escucharles...)

...Porque, hermanos, es más fácil que pase un camello por el ojo de una aguja que hacer entrar a un borracho en el reino privado de los barmen. Aprendan eso de ellos. Y noten que hay mil bebidas y un número limitado de borrachos –de clases de borrachos, no sé si me explico–. Que lo digan los barmen, nuestros hermanos vigilantes, nuestros timoneles, nuestros mayores competidores. Manolete, pienso, dirigiéndome al cartel, también fue un gran competidor. Y en voz alta al Ingeniero:

–¿Sabes el nombre de aquel toro? –Hago la pregunta y no espero siquiera la respuesta–. *Islero* –digo–. *Islero* fue también un gran competidor porque mató a Manolete. Y *Granadino*, ¿ya oíste hablar? *Granadino* fue otro gran competidor porque mató a Joselito. Sé una serie de cosas que darías todo por saberlas.

–*Me cago en tu leche*[1] –responde Tomás Manuel. Tiene la mano olvidada sobre las cuerdas de la guitarra–. Ay, Pacita Soares, Pacita Soares...

–¿Otra vez?

–Por lo que sé, todavía no ha nacido nadie que cante mejor el fado. –Rasguea unas notas sueltas–. Pacita Soares, poetisa de un cuerno. ¡Qué voz, la hija de su madre!

Parece perdido en recuerdos que sólo él conoce: serenata de verano en el patio, olor a nardos y aquella voz sua-

---

1. En español en el original. *(N. del E.)*

vemente ácida (como ciertas esencias de calidad) que, a
decir de Tomás Manuel, tenía una aspereza secreta posible sólo en un cuerpo indiferente como el suyo, Pacita
Soares, «hoy al servicio de los intelectuales».

–Hecho –interrumpo–. El primer fado es para Pacita
Soares. Señoras y señores: a petición del público, van sus
excelencias a escuchar...

–De pie –protesta mi compañero.

–Tienes razón. O se respeta al público o no hay nada. Señoras y señores, por el distinguido aficionado Ingeniero
Palma Bravo van sus excelencias a escuchar... ¿Qué fado?

–Ninguno –responde él con voz apagada. Y después
un berrido–. Ninguno he dicho. Para colmo no sé tocar.

Parece que se toma en serio la comedia que él mismo
había montado.

Va a poner la guitarra encima de los barriles y vuelve
con la mandíbula caída, enojado.

–Dilo. Todos vosotros detestáis el fado.

–¿Quién es *vosotros*?

–Tú y todos los escritores. Sólo falta que también seas
comunista.

Se deja caer en el asiento, es un bulto agobiado. Entretanto gruñe:

–Me has querido adular pero te colaste. He agarrado
más borracheras en un año que tú en toda tu vida...

¿No lo decía yo? Nunca hay que fiarse... El vaso de la
maldad ha vuelto, ahora empezará el ciclo y sólo resta el
dar las buenas noches y estarse por ahí.

Pero él vuelve a hablar. En otro tono, tono inquieto
ante el silencio de alguien.

–Estoy borracho, amigo... –Me tiende la mano–. *Sans
rancune?* Mira, vamos a beber un whisky a Lisboa. ¡Sólo
uno, coño! Para hacer las paces.

Con mucho esfuerzo llegamos al patio, y lo peor es con-
vencerle de que suba la escalera hasta la casa. Cada escalón una parada. A cada escalón se vuelve hacia Lisboa,
que es una ciudad donde un hombre bebe a su gusto y,
¡hala!, a la aldea. Tiene hipo: «Todas las ciudades son una
trampa». Vuelve el hipo. «Sin duda.»

Voy a dejarlo en la galería y no hay manera.

–Un momento. Nada de prisas. ¿Tú sabes por qué ningún hombre debe fornicar con la mujer legítima? –Se
queda callado, esperando; callado y vacilante–. ¿Tú sabes –insiste– por qué eso debe considerarse un delito
ante la ley? Silencio, yo explicaré. Porque la mujer legítima es el pariente más cercano que uno tiene y entre
parientes cercanos las uniones están prohibidas. Está
bien pensado, ¿no?

–Hace frío. Creo que ya me he resfriado.

–Curaremos eso en Lisboa. –Tomás Manuel me coge
por la chaqueta–. Vamos, vamos al Cascais y a los fados.
Tal vez encontremos a Pacita Soares.

(¿Habrá existido en realidad una Pacita Soares?, me
pregunto muy seriamente.)

Diez

Al deshacer la maleta y encontrar un número de la revista *Merkur* dedicado a Hans Magnus Enzensberger:

Si un día de éstos Gafeira saliese en un libro (lo que depende de la felicidad con que se interroga a la pluma y del buen éxito de la memoria), si un día la laguna y la aldea, los vivos y los espectros, viniesen de nuevo hasta mí, pero entonces en interlineado 12 al 14 y en pruebas de imprenta salpicadas de otros símbolos (que son los del revisor), a esta altura no dejaría de poner media docena de líneas sacadas de Enzensberger *(Política y delito).*

Los papeles de los testigos habían sido, en el sentido estricto del término, aprendidos de memoria y repetidos hasta la saciedad, de una manera tal que quien comparecía a los debates no eran las personas reales, sino la representación que habían construido de sí mismas y de las tesis por las que luchaban; Ana Caglio no era ella misma, sino alguien que interpretaba el papel de Ana Caglio...

Once

L *aguna,* para la gente de aquí, significa corazón, refugio de abundancia. Odre. Isla. Isla de agua rodeada de tierra por todos lados y por escopetas legales.

Pero isla, odre, corona de vaho o constelación de aves, a partir de la cual la comunidad de campesinos-obreros* mide el universo; no a partir de la fábrica donde trabajan, ni de la huerta que cultivan en sus horas libres. Por eso los gafeirenses conocen tan bien sus ciclos, sus estaciones, los animales que la frecuentan y las trampas de que dispone –las suyas y las de los guardas–. Y, nótese, es la laguna (o en su lugar la nube) la que me llamó aquí y me tiene (esperando y recordando) entre cuatro paredes.

Me encuentro entre dos ruinas, eso es lo que ocurre.

* Designación impropia, aplicable sólo al campesino que, en una agricultura en vías de industrialización, ha adquirido las características del obrero pero sin haberse identificado con él. No disponiendo de tierras, el hombre de Gafeira ejerce, como recurso, una actividad no especializada en las fábricas de los alrededores. La imposibilidad de tener un futuro garantizado en la industria y la desadaptación gradual al campo le hacen adquirir un comportamiento indeciso al que, a falta de otra palabra mejor, se lo llama «campesino-obrero». –*Del cuaderno de apuntes.*

En la línea de los montes una casa destrozada, en las raíces de la aldea un tendedero de grandezas romanas registrado, pieza por pieza, por un abad. Debió de ser feliz ese hombre, especialmente por el placer de las minucias ordenadas que se le nota en el estilo. Tan lleno de sensatez, es verdad. Tan reposado...

Sin embargo, siempre que me ponía en este mismo cuarto a coleccionar apuntes y pasajes de libros ignorados, ¿qué hacía yo sino entregarme también a las curiosidades? Es verdad, pero sin tranquilidad, siempre sin tranquilidad, mi lado crítico, mi voz independiente. Nunca he conseguido contar una historia en paz conmigo mismo, ni con la gente que en ella se mueve, ni tampoco leerla tranquilo. Y tengo cuarenta años, cuarenta y uno.

Lo que importa es que incluso a un cuarto de pensión llegan señales del mundo, vida de fuera. Cuando, tendido en la cama, leía al Abad o el *Tratado de las aves,* me bastaba levantar la cabeza para encontrar la corona de nubes que me llamaba al día de cada día, a la caza, a la lluvia de los campos, cosas concretas. Al anochecer, el vaho se derramaba y todo indicaba que era la despedida, que decididamente la laguna se iba a desligar de la aldea. Pero no. Acto seguido tintineaban campanillas, decenas de campesinos-obreros regresaban de la ciudad en sus bicicletas, y esa música me hablaba de cestos de anguilas arrancadas a las aguas de la madrugada al salir rápidamente hacia las fábricas. De esta manera pasaba la vida en Gafeira, y sigue pasando, con los ojos puestos en la laguna. Al romper el alba, bultos de ciclistas, sumergidos en el agua hasta las partes; al anochecer, un saludo de campanillas y anguilas exhalando vapor. Domina el día una corona de nubes. ¿Qué hora será?

Horas: Todavía es pronto para los diarios de la tarde, puedo sacar de aquí el significado. Por ahora no hay movimiento en el café, señal de que no han llegado todavía las noticias a la población. Hasta que lleguen, el que quiera novedades que se contente con el viejo de la lotería, y el Viejo, en su honor sea dicho, no se guía por las noticias de los periódicos, tiene uno propio... El aspecto malo de la laguna le basta y le sobra para explicar el mundo.

Forastero, cuidado con los refranes: Si la laguna es la abundancia y si, como dice el refrán, toda abundancia trae castigo, conviene estar prevenido. Se trata de una de las muchas reglas populares inventadas en la edad de las resignaciones cristianas y puestas en circulación para que nadie envidiase la abundancia donde ésta estaba encarcelada. Sin duda, Ingeniero anfitrión. En honor a la verdad y para mi gobierno personal, renuncio a la camisa del hombre feliz. Prefiero la mía...

...Y los coches que están en la plazuela: Son seis en este momento, y prueban que, con refrán o sin él, existe el lado bueno de la abundancia (eso: coches, barcas para surcar mañana las aguas, dinero para armas de calidad, dinero para adquirir vida y belleza... muchas, muchas cosas).

Claro que también existe el lado malo, claro que sí. Durante años y años la laguna ha acumulado tales venenos para matar peces, ha soportado tanta pólvora y tanta autoridad que –me limito a repetir las palabras del Regidor– quema al que se atreva a ofenderla. Motivo por el cual, dentro de la buena lógica, se prepara para devorar la casa de los Palma Bravo («que no tardará en derrumbarse cuesta abajo, arrastrando fantasmas y perros malditos», profecía del

Batidor en el café); motivo por el cual desafía de lejos a los mastines del Ingeniero y asiste, impasible, a la locura que se va adueñando de ellos; motivo, en fin, del abrazo de la muerte con que recibió a María de las Mercedes la madrugada del 12 de mayo último. Y todo está conforme al proceso –concluyo, encendiendo un cigarrillo.

Pero, pregunta mi curiosidad, ¿quién leyó el proceso? El Regidor. ¿Y fue mucho más allá de la «verdad del proceso»? Es dudoso. Anda metido en sus problemas, y no tiene tiempo de revolver un asunto que está oficialmente acabado. «Los procesos son explícitos», se excusó para poner fin a la cuestión.

Acepto, amigo Regidor, el proceso es explícito. Pero, ¿los malos tratos? O, pregunto en mi ignorancia, ¿es también fantasía lo que se dice por ahí de las señales de los golpes?

–En absoluto. Alguien hizo correr la voz para culpar al Ingeniero. Comprenda Su Excelencia: vi el cuerpo, no tenía la mínima señal de violencia.

–Se habla de ropa rasgada...

–Sí, y de arañazos. ¿Y no es natural? Una señora en medio de la maleza a aquellas horas de la noche...

María de las Mercedes debe de haber tropezado infinitas veces antes de entregarse en brazos de la laguna. Descalza y en camisón, huyó a ciegas, se enganchó en las ramas, se cortó en las zarzas, resbaló en el musgo, se hirió en los espinos. Iba loca, desatinada.

Anduvo más de dos kilómetros por la maleza antes de llegar a la Urdiceira. El Regidor arreglaba los papeles que me había estado enseñando, facturas, órdenes de la oficina de caza, lo que ya se sabe. Dos kilómetros, ni más ni menos.

–La Urdiceira –murmuro–. Ni al diablo se le ocurre escoger un sitio como aquél.

–Suele decirse que el que se mata tiene un destino. Tal vez el suyo fuese el mar, ¿quién sabe?

–¿El mar o el pantano, amigo Regidor?

–El mar. Me inclino a creer que era el mar.

Advierte, hospedera. La idea (que es «sólo un sopor», previene, por supuesto, el representante de los noventa y ocho, «ya que el proceso omite este punto...»), la idea confirma el odio que María de las Mercedes sentía por la laguna. Para huir no había otra salida que el mar. El mar y sólo el mar. Iba a las dunas, oía ya la voz de las olas que la llamaban hacia aquel lado y cuando se internó para acortar camino, quedó presa en el pantano de la Urdiceira. La laguna la había atrapado. «Patapán», grita el Viejo de la lotería ante los oyentes del café.

Mal principio este de confiar en las carcajadas del destino y en las invenciones de un pregonero. «Pésimo», añado, intrigado por la inquietud que hay en el café de enfrente. Los viejos cuando se ensañan son muy literarios, no contesto, pero no sirven más que para entretener a los indiferentes. Deshumanizan mi lado crítico. María de las Mercedes no odiaba tanto la vida que fuese capaz de ponerle fin con sus propias manos. No existía para ella una muerte hermosa. «Sólo la de parto...» –¿no fue eso lo que le oí decir?

Falta una coma en el paisaje: Y la tarde pasa sin un estremecimiento. Ni una brisa, ni un pájaro, ni siquiera un ruido que baje de los montes por la carretera. Esto, en el fondo, es muerte. Podría posarse una cigüeña en la torre de la iglesia, sería la coma. Un cuello largo y curvo, plasmado en el aire sobre la plazuela. Las cigüeñas piensan mucho en los hijos, parece. Van de un sitio a otro pensando en ellos.

Diablo, qué cosa he traído a colación: «Muerte hermosa sólo la de parto...». Si el Viejo lo oye se echa encima de mí, más irritado que nunca:

–¿Parto ella?... Ji, ji, ji... Déjame reír.

Cortará la tarde con su risita malhechora, y en vez de una coma tendremos una línea de puntos suspensivos en el paisaje. Será una risa tatuando la memoria de María de las Mercedes, acribillándola con ráfagas de escarnio.

–Ji, ji, ji... Estéril como una mula, ji, ji... Ella sí que era estéril...

Y entonces, por poco que se crea al pregonero, la acusación queda flotando: María de las Mercedes, mujer inhabitable. Además de la soledad de la laguna, su propia soledad, esposa estéril que odia el vientre abundante de las aguas (al que Tomás Manuel también se sentía atraído por el sueño de las tumbas sumergidas). Odiándola hasta el punto de acabar por entregarse a ella.

El regreso del líquido amniótico... ¿Correcto, doctor Freud? Despacio. La publicidad está llena de imágenes freudianas. Y las cuentas bancarias de los padres del psicoanálisis, claro que sí. Apuesto a que hasta herr Goebbels bebía de Freud con una pajita de acero Krupp.

Doce

«*M ujer inhabitable...*» Me gusta, es una frase altiva, vertical, para el título de una alegoría:

LA MUJER INHABITABLE

En la blancura de una hoja de papel (que es sin duda una tierra de seducción, un cuerpo por explorar), en el centro y bien arriba, se pone la frase. Sólo ella, el título, como una diadema de diecisiete letras. Después el homenaje (con o sin dedicatoria: María de las Mercedes, 1938-1966), completado por un granado en flor que hay en el patio de la pensión. Y será un dibujo meticuloso, lleno de articulaciones, de hojas recortadas, cada una con un significado.

El granado está agresivo, asaltado por legiones de hormigas. A pesar de eso, se le hace homenaje, porque en esta época del año y en esta tierra desolada es la única exclamación de la Naturaleza. Árbol bravío, de sombra de encaje, que fue excelente, y hoy se queda en la flor: alrededor no veo más que piedras y hormigas, restos de comida y perros que esperan a sus dueños. Y en medio, él. Él, llenando la página, como un herbario escolar, con el follaje tatuado de injurias (del Viejo), caprichos de interrogaciones en las flores, puntos que hormiguean. Es, este árbol, un canto al rojo expuesto al sol otoñal, y que lleva en sus brazos color cobre toda una bóveda de llagas alegres. Tiene, por fin, la inestimable utilidad de la belleza, cosa importantísima.

Un elogio a la esposa estéril no se defiende fácilmente, y menos aún con alegorías de aficionado. Pero ¿y los hombres estériles? ¿No hay lugar para ellos, hombres estériles, en los imparciales compendios populares por los que se guían viejos y batidores? ¿De dónde viene el mal que impide los frutos? ¿De la esposa inhabitable o de la simiente que no tiene fuerza para vivir en su interior? ¿De ambos? Caso para estudiar.

Ahora bien, no lejos de aquí, en un consultorio de la ciudad, hay seguramente una ficha esclarecedora: «*BRAVO, María de las Mercedes Palma; n. Lisboa, 1938; Ant. familiares, s/interés; Ant. personales...*». Alto. Es trabajo inútil: «antecedentes personales», lo que podía dar alguna luz sobre la cuestión, es asunto que quedó en los secretos de los doctores, en el compromiso que existe entre la mortaja y la bata blanca. Inútil insistir, porque los pactos son pactos, y ambas, bata y mortaja, ocultan cuidadosamente ciertos secretos de cada cuerpo. Inútil preguntar al médico a este respecto.

Cambiemos de rumbo. Dejemos el consultorio de la ciudad, alarguemos la mirada más hacia el sur, mucho más allá de aquellos pinares, y allí, Lisboa, a ciento treinta kilómetros de Gafeira, hora y media de carretera (media en Jaguar E), hay otra ficha. Ficha, no. Un puñado de documentos archivados en la secretaría de un externado religioso. Si Dios quiere, se encontrarán cuadernos escolares, bordados y fotografías de curso en las que aparece, año tras año, María de las Mercedes. En las primeras con lazo en el cabello, en las últimas con tacón alto.

Este colegio, para armonizar con las monjas universitarias que lo dirigen y con las anchas terrazas desde donde se ve el Tajo, habrá de ser formal, completísimo. Parece que lo es. Estuvo representado en el funeral de María de las Mercedes por la corona del recuerdo y de la pureza y mandó decir una misa en la capilla por el alma de la alumna desventurada. Formal y completísimo. Por ahora sólo desea que no se haga más escándalo alrededor de una antigua alumna y que la mancha que cayó en los anales del colegio se seque de prisa. «Silencio», ordenan las monjas, dando palmadas. Todas llevan anillo al dedo, grandes corazones de metal sujetos en los hábitos.

«He aquí la esclava del Señor...»

María de las Mercedes anduvo por estos corredores. Hizo sus primeras labores de punto en el césped del parque, jugó a batallas navales en las salas de clase presididas por un crucifijo de plata. En su tiempo había –y en el presente y en el futuro; lo habrá siempre– una Sor Joven que era la Inocencia y la Madrugada, la «sor huerto cerrado» de las escrituras (Salomón, IV, 3). Estaba la Madre Perfecta, Distancia y Autoridad, y también la adolescente apasionada que ama, más allá de las vidrieras, el sol y las nubes. Y otras, muchas más; unas que cambian mensajes de mesa a mesa, llenas de secretos; otras que copian versos de canciones; y no falta la indispensable colegiala que dibuja en el cuaderno un rostro de mujer, siempre el mismo; y escribe un nombre: sor Melancolía. De ésta no se espera ninguna novedad. Si continúa así (que no continuará) acabará como «novia del Señor», para disgusto de todos nosotros. Todo está en Santa Teresa, las *Moradas*.

María de las Mercedes no creo que tuviera sus horas
místicas. Devoción, estudio, comportamiento: promedio
normal. Pasó por el colegio con el desenfado con que aparece en cierta fotografía guardada en la casa de la laguna:
al lado de la Madre Maternalísima, raqueta de tenis bajo
el brazo, pato Donald estampado en la blusa; lleva lacitos
en el pelo y hace una mueca para disimular la risa. Sólo –y
es lo que desconcierta– hay algo inesperado en ella. ¿Los
senos? No sólo los senos. Las caderas, que son anchas y
acabadas. Adiós infancia.

Viéndola en aquella edad y conociéndola después, señora de la laguna, se deduce que el cuerpo que sería inha-
bitado se encaminaba desde muy pronto hacia las formas
seguras e instaladas de las señoras de casa. Se deduce igualmente que el mismo cuerpo, en un giro que no podemos
adivinar de ninguna manera, ganó en equilibrio, elastici-
dad, buen gusto, volviéndose la silueta exigente que se
paseaba por la galería del estudio, en pantalones y pañuelo al viento. No habría noticias de Tomás Manuel por el
momento.

Siete años de esposa, paseando de un lado a otro. A este
lado, en Gafeira, es de día. Sólo se ven cuatro coches de
cazadores en la plazuela, además del mío y de la furgone-
ta del Regidor; y, aunque fresca, la tarde está quieta. En el
valle sopla la brisa del anochecer que viene del mar, como
de costumbre (el pañuelo de María de las Mercedes se
mueve ligeramente...) y trae presagios de niebla. Octubre
nublado sobre la laguna, un año no concretado. Mil no-
vecientos y... ¿cuántos?

De vez en cuando a la joven esposa le parece oír el teléfono. Otras veces el motor del automóvil; otras el girar

del portón sobre los goznes, como si esto fuera posible
sin que los perros avisasen. Estos malditos. Pero el teléfono murió hace tiempo, porque las amigas juegan en la
ciudad, unas en casa de otras; están en el cine, las de Lisboa. Los perros, Lord y Maruja, duermen sobre las sobras
de la cena, con un ojo vuelto hacia dentro, y el otro, medio olvidado, atento al olor y a las orejas. En cuanto al automóvil «no hay hipótesis», como diría el Ingeniero. «Sin
duda.» El viento sopla desde la casa en dirección a la carretera. Imposible oír el motor lejano.

María de las Mercedes fue al cuarto a tomar una aspirina y ahora se apoya en una de las macetas gigantes de la
galería, paseando la mirada a lo largo de la boquilla que
aprieta entre los dientes. En la punta la brasa del cigarrillo
se enciende y muere, es un farol inseguro vigilando.

¿Por dónde andará aquel hombre? Me pregunto yo
también. ¿En África? ¿En Lisboa? La aldea está parada. La
camioneta de turno no viene con los periódicos. La niña-
criada y la joven de los dos setters han desaparecido.
¿Qué se habrá hecho del Ingeniero? ¿Huyó al morir la
mujer?

Trece

Por fin, a las dieciocho y catorce minutos, llegan los periódicos de la tarde, y deseo que traigan buenas noticias sobre el tiempo. ¡Ojalá! Para honra y gloria del mejor ganso de la temporada es indispensable que la criadita me traiga un buen *Diario de Lisboa* o un buen *Diario Popular* que no hablen de lluvia, ni de viento fuerte y menos aún de tormenta. Indispensable, está en juego un pacto de caramelos. Y estoy yo, que también cuento en el pacto.

El vendedor montó su puesto de periódicos en una de las mesas a la entrada del café, y de aquí, de allí y de acullá empiezan a salir clientes cotidianos. Además vienen los de fuera, los cazadores que fueron a pasear y a visitar tascas como turistas. Se cruzaron en los mismos sitios, oyeron a las mismas personas y, dentro de poco, cuando se encuentren para cenar, hablarán unos con otros en la sala de la planta baja. Cambiarán fatalmente impresiones sobre la laguna con los datos que les fue posible recoger y en seguida pasarán a los perros, a la pólvora y, a veces, a problemas legales. Conozco la cantinela. Y tú apresúrate, criadita. Ese diario de la tarde es importantísimo para nuestro pacto, los otros cazadores que se fastidien. No merecen que nos preocupemos de ellos.

Por lo que anuncia el diario, mañana todo estará en orden. Bancos de niebla en la costa meridional –no en ésta, ensordezca el diablo–, leve descenso de la temperatura y el clásico viento moderado que, para colmo, sopla del nordeste. Lo siento por las zancudas de esta noble y prometedora tierra, pero aquí está escrito. Inútil querer huir hacia el mar, porque el viento viene en contra, ni esa salvación queda.

Me echo en la cama para leer el periódico. Está visto en pocos minutos y me deja los dedos sucios de tinta, marcados con un color castaño oscuro de plomo. Es el sudor, pienso; el amargo y penoso sudor de unas hojas que nacieron de unos aprensivos redactores y pasaron por sucesivas cadenas de repartos, tijeras, añadiduras, sustos, hasta ser exprimidas en las pesadas rotativas. Friccionando el pulgar en el índice, sentimos resbalar el esfuerzo, el moho casi imperceptible que reviste y nivela los altibajos de nuestra conciencia. Son periódicos sin sobresaltos, se puede decir de ellos al leerlos. Es lo que nos dicen, sudando. Han sido tan escurridos por la censura que ensucian las manos.

Particularmente éste viene exhausto. Mensajero maltratado pero convencido (en artículos de fondo y notas del día) de su valiosísimo papel de Órgano de Información en las Estructuras Nacionales, llegó a Gafeira arreglado con sensatez y con la autoridad de haber llenado las veinticuatro páginas que le tocaban. Llegó cansado, sin voz, puede decirse. De poco sirve abrirlo, a no ser a los desconfiados que leen entre líneas. Pero, bueno, mal que bien siempre trae un prometedor boletín meteorológico. Esperemos que no falle. Que, al menos, no sea tan desas-

troso como ciertas previsiones de la NASA; me recuerda
la fotografía de Edwin Aldrin sonriendo a dos columnas
en la primera página.

UN LABRADOR CELEBRÓ EL NACIMIENTO
DE UN HIJO VARÓN

Beja, 30. –Más de quinientos invitados celebraron en la alquería
Santa Eulalia, propiedad del señor Patricio Melchior, el naci-
miento del primer hijo varón de este labrador.

Se consumieron, entre otros manjares, doce pavos, veinticuatro cabritos, quince lechones, treinta y un pollos y cien kilos
de borrego. Se bebieron cien litros de vino, cuatrocientas cerve-
zas, doscientas botellas de whisky...

...y esto, aunque no lo parezca, es un desafío a la sonrisa
de Edwin Aldrin. Ríete, inaccesible cosmonauta, de las
victorias logradas aquí abajo y no te asustes. Conozco,
mea culpa, a varios ciudadanos de labranza y cabaret capaces de pensar como nuestro labrador, y aquí entre nosotros, no le doy importancia. Sé lo hondo que llevan, y lo
constante, y amargo, el sueño de hacer un hombre a su
manera, enseñándole mundo y mujeres. Por tanto les deseo: *Salute ed figli maschi,* como brindan (dicen) los na-
politanos legítimos.

Edwin Aldrin me mira: Con sus labios blancos de americano embotellado en acero.

Está lleno de guerra y de publicidad, pero es un cosmonauta, no hay que olvidarlo. Es un hombre que confía en
los milagros que otros van descubriendo porque se presta
a probarlos y en calidad de tal lo merece todo se llame Edwin, Gagarin o su nombre de código sea Mayor Alfa Cero.

Lo que merece es alboroto de los políticos de Cabo Ken-
nedy, digo yo, sintiendo pena por los labios blancos. Y el
telegrama que trae el periódico es un insulto completo.
Debería estar prohibido por la Liga de Inteligencia Pública.

Y en este punto, con sólo quererlo puedo hilar decenas
de raciocinios. Un hombre que confía, un cosmonauta,
lleva hilos invisibles de humanidad en silbante propul-
sión. Con él viaja nuestro viejo universo, con unos labios
helados de esta manera y con escafandras tenebrosas.
Sinceramente. Hablo con la mano en la conciencia, porque, modestia aparte, muchos de mis abuelos portugueses también fueron buenos científicos descubriendo
mundo. Excelentes, no exagero. Diabólicos triunfado-
res en las siete partes del mundo y también sacrificados
por la especulación de los políticos y por las ofensas a la Liga
de Inteligencia Pública, que en aquella época, siglo XVI,
no existía. Ni ahora tampoco, desgraciadamente.

Cuando muere una mosca nacen mil hormigas: En el entarimado, alrededor de la cama, aprovechando los haces de
sol y lo acogedor del cuarto, las moscas pasean. Flacas,
presintiendo el invierno que se avecina, ensayan de cuando en cuando un vuelo corto y vuelven a dar vueltas en el
suelo. Saben muy bien que tienen los días contados. Pero,
criminales encerradas en un patio de prisión, circulan en
un espacio limitado, fingiendo recuperar las fuerzas, di-
simulando con toda la malicia que las distingue y con
todo su sadismo y cobardía. Incluso se persiguen y hacen
el amor. Condenadas, y con todo, hacen el amor. Muchas
resistirán hasta mañana, para darse un banquete con la
sangre fresca de las aves de la laguna, y después caerán
patas arriba en un rincón, girando sobre las alas, revol-

cándose como si jugaran y, sin embargo, asesinadas ya
por el invierno. Y después aparecerán brigadas de hormigas para arrastrarlas, porque cuando muere una mosca se
sabe que nacen cien hormigas y un millón de gusanos.

Otra vez la blanca sonrisa: Mientras las moscas pasean y
el caminante del espacio permanece quieto en la primera
página de mi periódico. Si le contasen las fabulosas aventuras de los portugueses que fueron, antes que él, navegantes de lo imposible, tal vez no lo creería.

No serviría de gran cosa el que lo creyese o no. Agitar
los modelos de nuestros descubridores como respuesta a
las hazañas de un cosmonauta es el argumento de los olvidados, y ya cansa. Estamos hartos de oírlo en los discursos de academia y en las crónicas oficiales. Aldrin
nunca tendría tiempo para eso. Está demasiado preocupado por el futuro para poder prestar atención a los des-
preciados del siglo xx...

...Y éste es el precio que vale el tiempo: «Sin duda –me
dijo una vez Tomás Manuel–. Cada tiempo tiene su precio». Veía los bosques triturados por las fábricas de celu-
losa (él mismo trabajaba en una, ¡qué remedio!); veía de-
saparecer la caza («no tardará mucho y sólo quedarán
perdices de granja y conejos enlatados», amenazaba); en
los pueblos del interior surgían snack-bars («pesebres»
los llamaba él) donde el sincero y suave lino era sustitui-
do por servilletas de papel («papel higiénico para el ojo
de la boca»); veía en Gafeira a los hijos de los emigrantes
luciendo transistores («botellones de música»), veía esto
y no se hacía ilusiones:

–Es el precio del tiempo. Para tener Jaguar y safaris era
necesario aceptar toda esa insignificancia.

–Y para tener menos hambre...

Su respuesta:

–Fíate de eso. Con los bancos de semen y el crecimiento de la población, siempre me quedo con las ganas de saber cómo se puede acabar con el hambre. –Y a continuación, en un desahogo que no olvido–. Esperma en ampollas, a lo que ha llegado la turba. Que nos manden un par de cuernos debidamente esterilizados y encima todavía tenemos que estar agradecidos a la ciencia. ¡Caray! Es poco mentar a su abuela.

En la acritud con que Tomás Manuel habló de los bancos de esperma y mentó a la abuela de los científicos que pasan por alto el orgullo de los machos, en este rencor que estalló de repente, ¿no se esconderá la desesperación del que se cree incapaz de habitar un vientre de mujer? Pregunto, es una suposición. Por lo demás, ¿cómo probarla?

Yo, por lo que sé del Ingeniero y de su manera de ser, no me lo imagino llamando a la puerta del médico y sujetarse a un certificado de esterilidad. Todo menos eso. Si hay cosas en el hombre que no se discuten, ésta... una, a menos que seamos todos catalogados por las sentencias de los espermatogramas. No. Mejor la duda. Mejor verificar por cuenta propia, probando fuera de casa como hacen muchos ciudadanos de labranza y cabaret. En ese caso, ¿con quién?

Repaso la galería de mujeres de Tomás Manuel –la parte breve e incompleta que recuerdo, evidentemente– y escojo una de las más libres y menos complicadas: Gatucha, Gatucha Abrantes Lemos, esa que él me describió con ocasión de una historia policíaca. Madre independiente, después ya comprobada, presencia y hermosura en feliz armonía (*racée,* fue la palabra que usó en la conversación), Gatucha no sería entonces la señora de boutiques en Cascais, ni estaría relacionada con el industrial que murió de un síncope en la autopista. El Ingeniero probaría por allí, y tal vez diese resultado. No faltan ejemplos y, además, asistí a borracheras que quedaron en la historia de los nacimientos de hijos varones. *Ecce homo,* éste es mi whisky. Bebed de él en honor del mejor par de testículos que ha visto este mundo.

Sentado esto, Tomás Manuel daría los primeros pasos. Pero aquí prudencia: admitiendo que realmente viniera un hijo, ¿quién le aseguraba a él, Ingeniero de la ciudad, que era suyo? A pesar de todos los juramentos de Gatucha, que daba una esperanza, a pesar de todas las lágrimas y lo demás de rutina, ¿no seguiría carcomiéndole la duda? «Escucha bien –le aconsejaba la prudencia de los viejos Palma Bravo–. Hacer hijos en mujer ajena es perder tiempo y dinero.»

La advertencia estaba hecha, ahora me levanto y voy a la ventana. De la ventana a la cama, de la cama a la ventana, ¿qué otra cosa se puede hacer en Gafeira?

¿Te has callado ya, mi lado crítico?

Catorce

[...] Un labrador de arrozales, Juan B. de L., ganadero y presidente de concursos hípicos, jura a pie juntillas que jamás aceptó un recibo del personal de la casa, porque, a los sesenta y ocho años cumplidos, todavía cree en la palabra ajena. La noche de Navidad reúne a la familia y a los criados en la mesa, y esté donde esté, así que le nace un hijo a un trabajador de la heredad, nunca se olvida de mandar la dote: una cadenilla de oro, si es niña, dos acciones de la Compañía Agrícola J. B. de L., Herederos, si es niño. «Hago el socialismo a mi manera», suele decir.

Está también el caso de otro –éste muy antiguo– que sembraba bastardos entre la servidumbre y que a cada amante le ofrecía un pañuelo rojo. Trae cola, esta historia. Se la oí contar al padre Novo, que, a su vez, la había escuchado a alguien en sus tiempos de colegio. En una de las versiones, el hombre moría acribillado a tiros de perdigón; en otra el fin era la locura; acababa, viejo y pobre, soñando en procesiones de pañuelos rojos. Prefiero la segunda.

Quince

Todos los años el mar rasga la membrana de arena que interrumpe la línea de dunas, se insinúa en ella, penetra por ese corredor y desemboca en la laguna fecundándola con nueva vida. El vientre amplio, vientre suave forrado de lodo, se revuelve, pasa de un lado a otro, pero, pasado el ímpetu, se llena de diminutas centellas de cola oscilante y la laguna se queda majestuosa y tranquila como un odre luminoso de peces abandonado en el valle, entre pinos.

Un viajero que pusiera el dedo en el mapa del Automóvil Club y recorriese el litoral la encontraría, kilómetro más kilómetro menos, entre la línea azul del océano y las manchas color castaño de los montes. Si es cazador, mejor, la olvida menos porque tiene una forma inconfundible: el contorno de una pata de ganso plasmada sobre el papel (lo que me induce a imaginarla como ocasionada hace millones de años por un gigantesco animal volador que, al regresar de otros continentes, hubiese tocado la tierra en aquel punto y la hubiese hundido haciendo brotar el agua. ¿Un mito? Paciencia. Aún así no sería el pri-

mero de la lista personal de un inventor de verdades que ya
escribió* ondas bíblicas y peces patriarcales) y ese dibujo
está como un espejismo que atrae al cazador en tránsito.

Pero los habitantes de la región tienen una idea más profunda y oscura de la laguna. Laguna y Palma Bravo son una
y la misma historia y, como no disponen de otro guía fuera
del recuerdo o del memorial del Abad, después de tantas
generaciones de hidalgos y cruces de leyendas, pierden el
sueño. Aquel claro de agua, en la boca del valle, les parece
un enorme atrio de solemnidad custodiado por un friso de
gobernadores, un bajorrelieve desgastado por el tiempo y
en el que es imposible descifrar una a una las figuras.

Estos personajes son vaguísimos (la *Monografía* puso
el mayor cuidado en que lo fuesen) y cada uno tiene la experiencia de todos los labradores antiguos. Tómese una
al azar: la de Tomás Manuel, el Tartamudo, supongamos,
que parece que fue uno de los más insaciables sementales
de la familia. La lección de J. B. de L. y su famoso principio de conceder dotes a los hijos de los criados le gustaría
(una dote –una cadena de oro, una escopeta– sería una
enternecedora viñeta para abrir el capítulo de los hidalgos de buen corazón), de la misma manera que la epope-
ya de los pañuelos rojos, que tuvo lugar en alguna parte y
sin fecha conocida, podría ser suya, del Tartamudo. Hé-
roes semejantes se superponen y usan el mismo lenguaje.

Si así sucedió, fue aquí, en Gafeira y no en un lugar
apócrifo sin edad ni firma responsable, donde tuvo lugar este acontecimiento. El Tartamudo compondría la
historia –hasta cierto punto– y tal vez sería oportuno
mandar dibujar un pañuelo en el escudo de armas de Gafeira. Pañuelo rojo sobre campo de plata. Muchas ciuda-

* *El ángel anclado,* Lisboa, 1958.

des se sentirían honradas al incluir en su emblema un
adorno tan personal.

De esos pañuelos poco se sabe. Se desconocen porme-
nores de identificación como el estampado, el año de fa-
bricación y la cantidad exacta que entró al país. Eran rojos, esto es seguro; y de merino; venían de un almacén de
Galicia por el camino oficial del correo destinados a cierto labrador (en este caso Tomás Manuel, el Tartamudo),
que adornaba con ellos la cabeza de sus amantes campesinas. Se cree también, está en las reglas, que el capricho
de Palma Bravo fue durante bastante tiempo el secreto de
un puñado de mujeres, las cuales, obligadas a usar la misma señal, se veían comprometidas y callaban. Así tenía
que ser, bien sucediese la historia en Gafeira o en otro lugar cualquiera. Y año tras año el círculo de amantes fue
creciendo; año tras año, por el tiempo de la siega, los
campos aparecían más hermosos con el conjunto de pañuelos que se mecían como amapolas en el trigal.

Y tenía que suceder: el río acabó por desbordarse.
«Venganza», decretaron los primeros hombres de Gafeira
que descubrieron el escándalo. Pero tuvieron que arre-
pentirse. Por causa de una mala palabra, uno de ellos estuvo tres años en la cárcel de la comarca; por causa de una
bala perdida dos hermanos y un cuñado se fueron a las
costas de África. Para acabarlo de enredar los maridos
engañados se pusieron en contra de los revoltosos acu-
sándolos de calumniadores y celosos. Cosas.

Y el Tartamudo envejeciendo. Y los pañuelos llegando
por correo en cajitas de media docena. *«La Preciosa - Te-
jidos y Mercería al por mayor»*[1], rezaba el rótulo, siempre
el mismo.

---

1. En español en el original. *(N. del E.)*

Fue entonces cuando un gafeirense, no importa quién, reunió a los hombres casados y les propuso una idea: encargar pañuelos iguales para todas las mujeres de la aldea.

Dicho y hecho. El viejo, que estaba tan viejo que no salía de casa, no cayó en la cuenta por el momento de la diferencia. Atado de la mañana a la noche a un sillón con un bacín debajo del asiento, se pasaba la vida en la galería. Una hermosa tarde vio llegar al patio un pañuelo que no reconocía y pensó: «Maldita memoria. ¿Quién será la muchacha?»

A la mañana siguiente otro pañuelo, nueva pregunta: «¡Ea! ¿Y ésta? ¿Dónde diablos la conocí?» Al día siguiente, y al otro, y al otro, más mozas, más pañuelos. «Jovencitas –comentaba el Tartamudo–. Tan jóvenes y yo sin recordarlas. ¿O será mi vista?»

Hasta que, sin dar explicaciones, mandó que lo levantasen en un carro de bueyes y fue a pasar revista a las propiedades. Parecía un predicador de viaje, sentado en un trono de seda. La silla, agujereada en el asiento, iba envuelta en una colcha que ocultaba el bacín. Él y sus deposiciones se arrastraban a paso de procesión entre pañuelos rojos, tantos como nunca habría podido imaginar. «Lo que hay ahí, pícaro, lo que hay...»

De pie, en medio de la carroza, un mozo de la casa lo amparaba por la espalda. Y el Tartamudo fue poniéndose pensativo, más pasmado aún, mientras avanzaba a sacudidas como una imagen de madera.

–A la aldea –gimió con los ojos salidos. Empezaba a asustarse–. Aprisa, muchacho. A la aldea.

–A la aldea –gritó el mozo al boyero que iba delante con la aguijada al hombro.

En este aparato entró Palma Bravo allá en la plazuela, recibido por comerciantes y curiosos que rodearon las andas para saludarlo. Él apenas respondió, tenía prisa. Buscaba pañuelos, dudando que a una luz tan débil, a decir verdad casi de noche, no hubiese visto rojo donde había sólo morado. O castaño. O anaranjado.

—Muchacho —dijo el Tartamudo al mozo que lo acompañaba cuando se cruzaron con la última mujer de la aldea (pero antes había subido por esta calle y a lo largo de ella debió de haber visto aún más pañuelos porque ya entonces era aquélla la salida principal de Gafeira)—. Muchacho, ¿de qué color era el pañuelo de aquélla?

—Encarnado, patrón.

—¡Ah! —dijo él, y se calló.

En el camino de regreso a la casa se fue apagando con la noche que bajaba de los pinares sobre el sillón y sobre los bueyes.

De repente, un ronquido, un temblor empezó a salir del esqueleto del viejo, y era un estertor que asustaba al mozo y al boyero. ¿Agonía?, preguntaban ellos. Pero no. Era risa, una risa que creció tan locamente que pronto se convirtió en un estruendo de sollozos y de heces que resonaban por el valle.

Dieciséis

Allí está la nube, la corona, dibujándose por encima del pinar. Por la forma que toma, muy densa, promete buen tiempo.

Promete buen tiempo... Paz sobre el cañaveral.

Me detengo a estudiarla como antes, pero entre la ventana donde estoy asomado y aquel saludo hay la distancia de un año. Un año que separa una idea de Gafeira, haciendo destacarse personas, voces. Domingo, el manco, es una sombra confusa, una rama que cuelga al viento. Recuerdo a Tomás Manuel en lo alto de la escalinata del patio meando en arco hacia el aire; me ve y se pone a hacer gestos indecentes. ¿Y María de las Mercedes? ¿Cómo era?

Había, y espero que haya todavía, unas fotografías suyas en el despacho del Ingeniero, al lado del estudio. Una en edad de colegio, con raqueta de tenis bajo el brazo, otra de novia y otra abrazada al marido en un puente del Sena (con Notre-Dame al fondo); éstas, y tal vez más, dispuestas en los anaqueles del estante al lado de cebadores de plata, antiquísimas pistolas de pedernal, uñas de jabalí y retratos de los Palma Bravo. Esos caballeros labradores

tenían caras sombrías. Emergían de un pasado intemporal en el que reinaban guerrilleros con crucifijo en el bolsillo y donde había pañuelos rojos agitándose en los campos. Y jabalíes en los bosques, subrayo expresamente; no
cualquier cazador puede enorgullecerse de haberlos en-
frentado, ya que en estos tiempos, nadie se fija en ellos.
Han desaparecido. Se han cansado de jugar a señores me-
dievales. Actualmente son unos exilados en parques aris-
tocráticos.

Todo abstracto: tiempo, recuerdos, Viejo, laguna...
Emigrantes reducidos a banderas de luto en cuerpos de
mujeres jóvenes, gafeirenses que viven en esas casas que
me rodean y los desconocidos que fui a buscar a los bares
y en las conversaciones ocasionales –dice mi lado crítico–
hacen todavía más abstracto este viaje alrededor de mi
cuarto. (Pero con mi lado crítico puedo luchar, es un ad-
versario de lujo que juega con las armas que yo le propor-
ciono. Se queje o no de la pretensión y de los vicios de la
recuperación histórica que hay en un viaje alrededor de
un cuarto, proteste cuanto quiera contra la pasión de la
nada, del pormenor y contra el detestable gusto del llamado presente intemporal, argumente con eso y mucho
más que ya no me impresiona. No me importa. Lo lamento, pero con la cara alegre, porque algunos de esos defectos tienen siempre sus méritos. Algunos incluso fueron
condecorados con la Gran Cruz del Onanismo Literario.)

Todo, todo abstracto. Hasta los jabalíes a quienes nunca tuve el honor de conocer a no ser a través de los tapices
antiguos y del pelo de los cepillos. La aldea se ha desenfocado, ha perdido puntos de referencia. Dos muertes re-
pentinas le han cortado el hilo normal del tiempo y las
voces que se unían a ella se han ido alejando, alejando,
hacia horizontes increíblemente vagos.

–Mi criado Juan Meco ha tenido un hijo. Más whisky para esta mesa.

Esto sucedió lejos y podría haber sucedido aquí. Mal-me-quiere, bien-me-quiere... ¿niño o niña? ¿Escopeta o cadenilla de oro? J. B. de L., Herederos, el labrador de las dotes y las colaciones con la servidumbre, aunque desconocido en Gafeira, no sería una novedad para esta gente. El mismo Abad, si viviese, podría atestiguar que en el reducto cristiano donde me encuentro también hubo siempre un Palma Bravo que compartía con la familia y los criados el pan de Navidad. «Alégrense los cielos y la tierra...», cantaban los querubines en la laguna, cabalgando sobre aquella nube redonda.

Seguramente el Ingeniero aprendió desde niño la ceremonia de la cena de Navidad y la repitió hasta la muerte de su padre, que fue lenta y dolorosa. Hidropesía, no podía ser otra cosa. Y tal vez haya alguien por ahí que se acuerde todavía del viejo dirigiéndose, detrás de su barriga de agua, entre hileras de criados, hacia la mesa del banquete. Qué peso, qué sacrificio; y él sonriente. Entonces los cielos y la tierra se alegraban, según los querubines de las alturas, y el vendedor de lotería (si por ventura hubiese sido invitado) no dejaría de comentar que el hidalgo había bebido tanto que acabó ahogado en su propio vientre, tal como diría, años más tarde, que el hijo, el Infante, de tanto deshonrar acabó deshonrado. ¿Estoy exagerando?

(En principio sí. Una hidropesía es, en realidad, una exageración, una caricatura de la muerte. Ningún escritor eficiente caería en esa trampa, en esa elección tan espantosa en el catálogo de enfermedades posibles. Ni al diablo se le ocurriría que una laguna pudiera vengarse tan teatralmente instalándose en el vientre de un rey condenado. Pero no tiene importancia. *En el principio era el agua, y el agua estaba en él...* ¿Hice algún agravio, celoso abad? ¿Puedo continuar?)

Un helado invierno –fecha aproximada: 1959, año de la boda del Ingeniero– llegó a Gafeira la primera máquina de tejer. Llegarían más, una incluso con la misión de hacer desgraciado al prior Benjamín Tarroso, que está en una casa cercana, inmóvil para siempre. Pero aquélla fue la primera: la descargaron en el patio de la residencia de los Palma Bravo y, cargada por el mozo, fue instalada con todo el ceremonial –embalaje, libro de instrucciones, certificado de garantía– en el cuarto de planchar donde María de las Mercedes pintaba flores secas para ofrecer a los stands de la Cruz Roja Femenina.

Era un monstruo que no dejaba a nadie tranquilo, protestaría pronto el Ingeniero. Una larva insaciable. Posiblemente fue colocada desde el principio en la mesa de fresno, donde yo la veía cuando atravesaba el corredor, aunque entonces estuviese muda y seca, invernando. Hasta aquel momento había sido incansable. Un monstruo.

Voraz, recorriendo un espacio limitado, la larva con sus dientes de acero, rumiadores, había escrito sobre la tabla de fresno una extensa crónica de la soledad. Escribiendo y borrando, hacia delante y hacia atrás, se desentrañó en una baba caprichosa que corría a raudales en forma de géneros de punto a lo largo de las horas, los días y las semanas de María de las Mercedes.

–Obsequios para la servidumbre –se justificó la joven esposa. Y poco antes de Navidad–: Tomás, ¿y si invitásemos a los trabajadores a cenar?

Hacía mucho tiempo que Palma Bravo, el padre, había muerto de ascitis (vulgarmente hidropesía, vulgarmente vientre de agua) si, en justicia, era ésa la enfermedad que le correspondía por haber sido un monarca de la laguna y un adicto bebedor. En esa época, por tanto, la casa, aparte de los dueños y de la vieja Aniñas, se reducía a Domingo, a una criada y al mozo de labranza.

–Acuérdate de tu padre, Tomás. Haremos una cena como a él le gustaba. ¿Quieres?

Se cuenta (no puedo acordarme exactamente de la persona, del relator) que una mujercita de la casa –Aniñas, ¿qué otra podría ser?– fue a informarse de cómo los trabajadores de fuera pasaban la Navidad y de sus planes. He oído un vaguísimo rumor de las censuras que se le hicieron entonces y de repente se ilumina la casa del lagar y se ve la mesa puesta rodeada de una docena de invitados. Tres son campesinos-obreros con sus mujeres, los demás son viejos; unos sordos, otros cojos, otros con la nariz goteando. Para completarlo, niños agarrados de las faldas de su madre.

Tomás Manuel en persona sirve a los visitantes; insiste en los dulces, en el espumoso, ofrece puros. María de las Mercedes distribuye prendas de vestir. El casi olvidado cántico de los querubines empieza a temblar sobre la laguna.

Mientras esto sucede el primer invitado se levanta y le siguen su mujer y sus hijos. ¿Tan pronto? El primer invitado, y el segundo y el tercero, tienen una excursión con el personal de la fábrica el día siguiente. Presentan sus excusas, agradecen y se marchan. Al poco rato quedan los viejos sentados contra la pared, cada uno con un puro por estrenar en la palma de la mano.

–¿Qué tal, abuelitos? –dice María de las Mercedes, por decir algo. Al mismo tiempo mira disimuladamente al marido.

Ante aquella barca de comida y de velas centelleantes, Tomás Manuel guarda silencio. Es el buen anfitrión inmóvil en el apogeo del festín. Finalmente despierta:

–Mejor, ahora empieza la fiesta. –Y en seguida parece otro, alegre.

Sale para ir al *bodegón* a buscar champaña. Del bueno, del auténtico. (De paso trae también una botella de whisky de la que bebe al atravesar el patio a oscuras.) Otro viaje para traer (esta vez) el tocadiscos (y otra botella). Palmotea.

–Domingo, prepárate ese gaznate. –Y le sirve whisky hasta el borde del vaso.

Para la criada Aniñas trae champaña.

–Acércate, que a partir de hoy ya no mueres tonta.

Para la muchacha y para los viejos lo mismo.

–Champaña. Francés, de aquel que ni los obispos beben cuando quieren.

–Huy –dice un viejo complacido. Se limpia los labios con el revés de la mano y ríe, sacudiendo la cabeza, como si no creyese la felicidad que le estaba reservada.

Más bebida, más puros, todo baila a la voz del Ingeniero. No se oye a los querubines. En su lugar un fado de Coimbra llena la casa del lagar:

> Yo quiero que mi cajón
> tenga una forma extraña,
> la forma de un corazón, ayyy...

–Ay, la forma de una guitarra –corea Tomás Manuel.

Aplausos. La hilera de viejos quisiera aplaudir, pero tienen las manos ocupadas, en una el puro, en la otra el vaso. «¡Ay, vejestorios de pacotilla!», les grita el dueño de la casa; y ellos ríen asintiendo con la cabeza. El del medio ya no vuelve a levantarla. Se ha dormido.

María de las Mercedes toma una aspirina con un trago de champaña. Bebe aparte, vuelve a beber. Al poco rato se acerca al marido.

–¿Te has olvidado de mí, Tomás? –Levanta la taza, cruzándola con el whisky de él, con los brazos enlazados como en las películas. La pareja hace un brindis. En inglés–: *Merry Christmas* –dice ella.

–*Merry Christmas* –dice el hombre, y canturrea–: *Jingle the bells, jingle bells…* Tataratatá…

Precisamente en este momento veo dos viejos que duermen y uno que tiene hipo, sin remedio, sin poder hacer otra cosa. María de las Mercedes baila con Tomás Manuel, que, sin soltar el vaso, lo vacía en el whisky de Domingo siempre que pasa delante de él.

–Un día es un día, vaya.

A Aniñas le hace mimos. Tan pronto le dirige un chiste pícaro como la arrastra a bailar, y la mujercita se encoge, esconde la risa con la punta del delantal.

En cierto momento se oye un estruendo. Uno de los viejos soñolientos, después de mucho cabecear, ha caído encima de dos compañeros atropellándolos. Con el susto el de la punta ha caído de la silla, pero, aún así, ha tenido tiempo para soltar una palabrota de las gruesas. La respuesta es una carcajada general tan sentida y tan larga que los otros dos se levantan en sus sitios y se quedan aturdidos y muy serios.

Pero hay todavía un viejo perneando bajo la mesa. Se le acerca el mozo de labranza que, por desgracia, todavía reía, haciéndose el gracioso. El viejo lo recibe con otra palabrota de aquéllas, de las más gruesas, al tiempo que cogiendo el bastón en que se apoyaba le da un golpe en las canillas. Está enojado, qué caramba. La única mano que acepta para levantarse es la del Ingeniero, pero ni siquiera se lo agradece. Está realmente enojado. Una vez en pie, coge su sombrero y a la porra con todo. Sale por la puerta.

Tímidamente, los otros dos le siguen. Obedecen a la solidaridad de los viejos, que es terrible como sabemos. El último se despide cortésmente:

–Patrón... –hipa–. Señora Mercedes... –hipa. Después, haciendo un esfuerzo–: Perdonen si alguna palabra...

Toma impulso para enfrentar la oscuridad del patio, ensaya una vuelta y desaparece, empujado por una racha de risas.

–Ay, el diablillo –se retuerce Aniñas en la silla–. Ay, yo... Ay, yo...

–Llegan las rosas, se deshace el mar... –dice el Ingeniero.

–¿Cómo? –pregunta María de las Mercedes.

–Nada, es el título del disco. –Tomás Manuel alarga el brazo hacia la botella–. Cualquier día tenemos que hacer limpiar el pick-up.

En un rincón del árbol de Navidad la criada joven intenta deshacerse del mozo de labranza que se obstina en sacarla a bailar. Sentado a su lado, Domingo recibe codazos, empujones, pero se mantiene ajeno. A la luz de las velas se le ve de un color pálido, verdoso.

–¿Qué sucede? –Tomás Manuel se le acerca apuntándole con la botella. Mientras, murmura que llegan las rosas y se deshace el mar.

–Muchacho –dice Aniñas, muy zalamera–, pon aquella música de antes.

¿Cuál? ¿Otro tango? ¿Más valses? ¿Más guitarreo? ¿Una marcha? En la casa de la laguna había, yo la vi, la de *El puente sobre el río Kwai,* pero estamos en 1959 y para la Navidad de 1959 creo que esta marcha no había sido escrita. De todas maneras la fiesta acabará en baile y María de las Mercedes, un poco mareada, fumará su primer puro. Discretamente, el criado manco se dirige a la puerta.

–¿Qué es esto? –Tomás Manuel lo coge por los hombros cerrándole la salida.

El otro insiste en pasar. Sacude la cabeza, se revuelve para librarse, pero de repente empieza a resbalar de las manos que lo sujetan. María de las Mercedes lanza un grito:

–¡El médico!

–De prisa –manda el marido con aquel cuerpo en los brazos. La boca del mestizo es un hilo de espuma, su rostro palidece, tiene color ceniza. El Ingeniero se vuelve a la mujer–: Ve a telefonear, de prisa.

María de las Mercedes corre hacia la puerta, pero vuelve para buscar la linterna eléctrica. Al pasar al lado de Tomás Manuel se para un segundo, se inclina a su oído:

–Animal –susurra con rabia, como si fuese una despedida, una acusación.

Con más fuerza y con más autoridad que si lo hubiese dicho en voz alta y ante testigos.

(Según mis cálculos, esta primera y última cena de Tomás Manuel, si es que tuvo lugar, fue en la Navidad de 1959. Con un año de casada no tiene sentido que el insulto de María de las Mercedes quedase en el aire sin un arrepentimiento. Estaban empezando, sufrían el uno por el otro.

–Cariño, ¡qué insensatez! –habría dicho ella, bañada en lágrimas.

Así está bien.)

Diecisiete

En el café entran clientes, otros salen con el periódico en la mano, pero los cazadores que estaban allí se han quedado. Por lo visto continúan encadenados al Viejo. Y el Viejo expone la doctrina que le gusta, otro que tal. En el fondo se siente protegido al tener al Batidor cerca, pues no hay cazador digno de ese nombre a quien no le guste ser amable, oír y respetar a un batidor y a las personas en las que él deposita su confianza. Deseo que le aproveche el pasatiempo. No es un sacrificio excesivo prestar un mínimo de atención a un pregonero ladino que vive de números de suerte y para el que nada es imposible en el mundo, ni la felicidad inesperada ni la leyenda.

Partiendo del principio, que es todavía acerca de los crímenes de la laguna de lo que está hablando en el café, los forasteros deben sentirse un poco desorientados por las vueltas y revueltas del Viejo. Pensarán: «¡Qué lío!», y como cualquier cazador en coto desconocido, buscarán referencias, puntos concretos.

Ahora bien –resumirán–, la tarde del 11 de mayo pasado un Ingeniero, llamado Infante en este café, había salido de la fábrica para dirigirse a Lisboa: *primer punto*. Sobre esto parece que no hay dudas en los cazadores oyentes, incluso porque ese día dos testigos, presentes, viajaban en la camioneta de turno y reconocieron el Jaguar en la autopista de Villafranca hacia las seis de la tarde.

Segundo punto. El Infante volvió embriagado, por lo que parece. En el puesto de la Shell, a treinta kilómetros de Gafeira, obligó al mozo de servicio a abrir el bar amenazándolo con la manguera de la gasolina. Eran las tres y media de la madrugada. «Tres y diecisiete», puntualiza el proceso.

Aquí empieza la complicación propiamente dicha, y por tanto, las opiniones se dividen. Unos sostienen que el Infante estaba acompañado de una señora de nacionalidad extranjera, otros afirman que la fulana venía en otro automóvil que llegó al mismo sitio, conducido por otro individuo que estaba relacionado con él. ¡Y qué fulana! Enorme, un caballo de precio. Una auténtica Fulanísima de tal. En fin, fuera lo que fuera, se deduce que había dos coches en la carretera y una cita en el bar. Y esperemos.

Tercer punto, la riña. Sin duda a causa de la dama. El Infante echó la casa por la ventana; rompió los dientes de su rival y le arrancó una oreja, o poco faltó. Además, no satisfecho con la hazaña, huyó con la extranjera. Si no había sido él el que la había traído.

Por fin, *cuarto y último punto*, como iba muy de prisa, resbaló en la precipitada huida chocando en un poste de luz con las ruedas traseras del coche, se hizo un corte en una oreja y siguió.

–Y éstos son los hechos –como diría el Dueño del café.

–Bien, ¿y después? –preguntarán, como yo, los cazadores.

Y el Viejo responderá:

–Después llegó a casa y no encontró a su mujer.

–Ya sabemos, se había ahogado. Pero, ¿y la extranjera? ¿Fue a dejarla a Lisboa? ¿Y cómo, si había chocado con el coche?

Viejo:

–El coche es lo de menos. Porrazo más, porrazo menos, siempre funciona.

El Dueño del café:

–Es material inglés, no hay nada que acabe con él. –Habla así porque, después de encontrar el cuerpo de María de las Mercedes, subió, como otros curiosos, hasta el patio de la casa y vio el Jaguar. Estaba en medio de un charco de aceite y con los vidrios y el tapizado salpicados de sangre.

El Batidor:

–Tal coche, tal dueño.

Dueño del café:

–Parece imposible que haya podido conducir en aquel estado.

Porque, además de las heridas de la pelea, el Ingeniero, al chocar, se golpeó la cabeza en el parabrisas abriéndose una profunda herida. De hecho parecía imposible –las palabras son del médico y las oyó el Dueño del café– que alguien pudiese aguantar dos horas al volante con la sangre corriéndole a raudales sobre los ojos. Y lo consiguió.

Viejo:

–A mí lo que más me preocupa es la extranjera. Si llegó solo a casa, es que la había dejado por el camino.

Batidor:

–Fue a dejarla a Lisboa, en eso no hay dificultad. Con aquel coche en dos horas se puede llegar a la otra parte del mundo. Y no digamos en manos del Ingeniero.

El Viejo, fusilándolo con los ojos:

–El Ingeniero, el Ingeniero... El que tiene dinero para

multas y coches, va de prisa. No veo dónde está la habilidad.

Batidor:

–Sí, si consideramos eso...

Viejo:

–Ni siquiera consigo entender de qué le servía un caballo tan veloz. ¿Tú lo entiendes?

Batidor:

–Yo no, señor. Pero tratándose de la vida de los otros, sí.

El Viejo del diente afilado:

–Tanta prisa, tanto ruido, y al fin, ¿para qué? Para llegar atrasado donde hacía más falta. –Reía de buena gana.

Este pregonero de periódicos y lotería es astuto cuando acusa. Utiliza silencios e ingenuidades calculadas, sabe escoger las palabras e hinca el diente. En vez de *Ingeniero, Infante;* en vez de *automóvil, caballo* o *caballote* y, como un adorno más, un matiz suplementario, tenemos a Tomás Manuel convertido en un diablo sin suerte, luchando contra molinos de gasolina y montado en un ciego y descomunal pene de acero. *Y que viva Goya, hermano*[1].

Ni yo, ni los cazadores, ni nadie puede quedarse insensible ante las astucias de un diente así. Se le pregunta acerca de la casa –es una suposición– y el Diente responde:

–Se está deshaciendo. Los fantasmas se ocupan de destruirla piedra por piedra.

Se pregunta más:

–¿Fantasmas? ¿Fantasmas de quién?

Respuesta del Diente:

–De los Palma Bravo, ¿de quién habían de ser?

Otra pregunta:

---

* En español en el original *(N. del E.)*

–¿Y el criado Domingo?

Respuesta:

–Otro que nunca falta, Domingo. A propósito, es uno de los fantasmas más importantes.

Intervención del Batidor:

–Se aparece en forma de perro cojo.

El Diente:

–Exacto. Es un duende de tres patas. No hay duda* que la plaga está completa. Hidalgos, criados, perros, no falta nadie...

Una última pregunta, Diente:

–¿La señora Mercedes anda también por allá? ¿Y cómo, si no es indiscreción?

Respuesta del Diente:

–La señora Mercedes, Infanta o como quieran llamarla, no tiene lugar en la casa. Sólo hombres. Hombres y perros.

Batidor:

–Y el criado mestizo, no se olvide.

–Claro, el perro cojo, el perro cojo... –corean los cazadores forasteros.

Miro hacia la línea del pinar. Los montes se han oscurecido, la nube los ha cubierto. Cuando caiga la noche empezarán a desfilar entre los árboles las almas embriagadas de los Palma Bravo, guardabosques reales salidos de las páginas del abad Agustín Saraiva, halconeros, monteros mayores y compañía, sin olvidarse del abogado errante. Se dirigen al caserón, donde –dice el Viejo– tratan de saldar cuentas antiguas. Parece que en el calor de la contienda levantan las maderas del suelo, destechan la casa y acaban maldiciendo a las hijas desobedientes, a las esposas y a todas las mujeres en general.

Dieciocho

Al final de la tarde la plazuela ha perdido su aspecto agresivo, es un terreno abandonado que ha cumplido un día más, recorrido, pisoteado por las sombras aliadas de la iglesia y la muralla. Dentro de poco se rendirá a la noche, que es la cara común del universo, se acogerá en ella, cubrirá los agujeros y las arrugas con la oscuridad. Se confundirá, en fin, con la misma mancha que iguala otras zonas más felices: la carretera y los jardines, las exuberantes huertas.

No hay luz en las tabernas por ahora y, estoy seguro, el Regidor está en la posición en que lo dejé: sombrero en la cabeza, manos sobre el mostrador, mirar lejano. Parece un capitán de barco en el puente de mando, preparado para enfrentar el crepúsculo que avanza hacia él desde la plazuela. Ahí está, señalo, el que puede aclarar muchas confusiones si quiere hacerlo algún día. Trató con el Ingeniero años y años, todo lo que declare se basa en números, hipotecas, papel sellado y en confidencias recibidas en los corredores de la Cámara de la ciudad. Habla de la laguna, si le parece que debe hacerlo, pero «con datos» *(sic)*, «con datos en la mano».

En toda Gafeira sólo él y el padre Novo saben con certeza lo que pasó la última noche de los Palma Bravo. Ambos, sacerdote y Regidor, leyeron los certificados de defunción; mejor: ambos siguieron la pluma del médico cuando escribía el informe de los dos cadáveres, el de María de las Mercedes, esposa desesperada, y el del criado. Pero uno evita dar explicaciones porque es el jefe, cabeza de la comunidad, y el otro porque es alma, secreto de confesión. El médico no cuenta ya que no vive aquí y tiene el consultorio en la ciudad. No cuenta, escribió lo que tenía que escribir en legítima declaración oficial y no está para alimentar las intrigas de una aldehuela. Así se habla, tengo que reconocerlo.

Hay una pareja de cuervos en un poste: Siempre he creído que la aparición de la luz eléctrica en nuestras aldeas expulsaría a los fantasmas y las brujerías lunáticas que infestaban los campos. Me engañé. Mientras haya vendedores de lotería de un diente y batidores encadenados, continuarán resonando los misterios de la muerte. Y si el padre Novo tiene como profesión tratar con los misterios –con otros, pero en el fondo también misterios– nadie nos puede ayudar si el Regidor no está dispuesto. Esperemos en su cortesía y en su amor a los hechos para que el visitante de buena voluntad salga de aquí con alguna luz. Los cuervos, a pesar de su negrura autoritaria, poseen un lenguaje clarísimo. Nunca se equivocan.

El Regidor, en el mostrador o fuera de él, habla y hablará siempre basado en el rigor, en la fe en la sentencia. Todo aparecerá resumido en aquel tono de hombre enojado que no hace más que repetir una verdad conocida que la ignorancia de unos y la bellaquería de otros se empeñan en deformar sin ningún provecho. Paciencia, lo que sucedió, sucedió, y no presenta dudas, está en el proceso de la Guardia Nacional Republicana. El que no lo crea, que vaya a verlo y sabrá que tres individuos –Fulano, propietario, residente en Lisboa; Mengano, ingeniero agrónomo, digo, silvicultor, residente en la casa de la laguna, Gafeira, y Fulana, o Jacqueline, o Wanda, o Dimitra Barkas, artista de variedades, natural de Baja Tesalia y portadora de pasaporte italiano–, los tres se pusieron de acuerdo para encontrarse en el puesto de gasolina situado en el kilómetro K de la carretera nacional; todos declararon que se dirigían a una casa de la plaza San Martín, propiedad del primero, utilizando para eso el automóvil marca Jaguar, matrícula tal, y en ese encuentro sucedieron los hechos que dieron origen al proceso.

–Para abreviar: discutieron –me dijo el Regidor.

Discutieron, fue su palabra. Es una palabra de secretaría y que se acomoda a las instrucciones amodorradas y a la caligrafía de un escribano saturado de caspa. «Las partes discutieron, se enredaron en un desorden del que resultaron ofensas morales y corporales», y así sucesivamente, siempre en este tono, hasta el momento de la huida y del accidente. Se registraron, con todo, circunstancias agravantes, pero no se probó que el rasguño producido en la oreja del segundo individuo haya sido obra de Tomás Manuel. El Regidor insistió en este punto delante de mí:

–Como ya tuve ocasión de decir a Su Excelencia, la extranjera fue la que se aprovechó de la barahúnda e hincó el diente en el otro sujeto. El Ingeniero no tuvo nada que ver con el delito de la oreja.

Pero, volviendo al principio, ¿por qué discutieron? ¿Celos? Tuerzo la nariz: ¿celos Tomás Manuel?

Tampoco dejó en esto lugar a dudas el Regidor: no cumplió con lo convenido.

–A última hora el fulano este se negó a ir a San Martín y quiso por la fuerza meterse en casa del Ingeniero.

–¿Con la italiana?

–Italiana, china o lo que sea. Esa clase de turistas son los que perjudican el comercio.

–Muy bonito. Mordió al amigo y se fugó con el Ingeniero. ¿No se sabe a dónde?

–A Lisboa –era el parecer del Batidor, mientras que el jefe de la aldea es más reservado y cree que nadie tiene derecho de pronunciarse sobre cosas que no están en el proceso.

En cuanto a él, se sabe lo que hizo hasta llegar a la ciudad, está escrito. Tomás Manuel dejó a la chica en la Transportadora del Norte, donde tomó un taxi, sola, a las cuatro y veinte de la madrugada. Eso sí, es seguro, fue declarado. Ir más lejos es adivinar.

–El día que se incremente el turismo en esta tierra nos vamos a volver locos con estas sinvergüenzas –concluyó el Regidor.

El diente de la mula: Allá en la tierra de la verdad, el caballero Gaspar soltaría una buena carcajada con el episodio del mordisco de Jacqueline. Sería un punto más para añadirlo a la teoría sobre los dientes de las mujeres, un ejemplo que no podría pasarle inadvertido.

–Muy buena –diría a Tomás Manuel–. ¿Lo ves, sobrino? Pregunto, pues:

–¿Y el sujeto del mordisco?

–El del mordisco se quedó escupiendo por la oreja, ¿quién le mandó ser tonto? –(Esta escena, como puede comprobarse, causó gran enojo al Regidor)–. Esta clase de propuestas no se hacen a nadie y mucho menos al Ingeniero. Todo tiene sus límites.

–Así me parece a mí también.

–Y el Ingeniero, mucho ruido, mucho ruido, pero de puertas adentro mucho cuidado. Ah, sí. Puertas adentro no admitía faltas de respeto, a quienquiera que fuese.

Asentí con la cabeza (y continúo asintiendo), pensando, como piensa el Regidor, hasta qué punto es arriesgado y del más elemental conocimiento de las costumbres de los delfines desafiarlos, ya sea en la honra o en el orgullo. A las buenas llegan lejos y les gusta sentirse protectores, a las malas, Dios te libre, son feroces. Los he visto capaces de lo peor y, momentos después, con lágrimas en los ojos, conmovidos al contar una historia en la que aparezcan con toda su generosidad o en la que muestren el agradecimiento de alguien por su coraje. El hombre de la oreja cortada tenía la obligación de conocer este rasgo de la *natura vitae delphini*. De lo contrario, ¿quién le mandó ser tonto?

En su sitio: Un arado en la puerta, en el paseo, y las mantas de pastor colgadas afuera indican que el Regidor continúa en su sitio, en la tienda. Estará pensando en Tomás Manuel. (Manos generosas, manos generosas, le decía) y, si está pensando en él, por su memoria de comerciante en regla pasa un desfile de grandezas. En los primeros años el esplendor de los Palma Bravo, cacerías, coches nuevos, bailes de Palito en Beja, para San Juan corridas de toros en Badajoz. Después de la boda, dos caballos Alter en un camión hacia la feria de Golegán y detrás, en un descapotable, el Ingeniero y María de las Mercedes de gran gala: sombrero, chaqueta de terciopelo, zahones y camisa de puntilla. «Manos generosas, vida holgada...»

Más que jefe de la aldea, el Regidor es ahora un capitán de sueños y de cálculos. Pone el pensamiento en Tomás Manuel y en sus embajadas, pero se detiene en los últimos años con aprensión: ante el ruidoso coche de los Palma Bravo que ocupaba un lugar en los cortejos de ofrendas, con seis faisanes de alas abiertas en la cumbre de una pirámide de gansos, de patos reales; la florida y postrer producción de una casa que ya no tenía labranza.

–La de gente que iba a cazar –dirá–. La propaganda que aquella carroza podía hacer de Gafeira si el mismo quisiera.

Es sin duda un capitán de cálculos. Fija su mirada más allá de la puerta de la tienda y se pierde unos instantes. Ve la carretera llena de tránsito, música y excursiones. Y si por casualidad levanta la cabeza en dirección a los montes de enfrente, no podrá menos que pronosticar, en secreto, un mesón en casa de los Palma Bravo, mesas en el patio, bebidas en la bodega, explanada sobre la laguna...

Lo dejé así esta tarde. Estaba (y quiero creer que sigue así) con el mapa de los Noventa y Ocho encima del mostrador, sereno y muy atento. Me dan ganas de arrojarlo de aquí.

–¡Eh, capitán Regidor!

Yo en la ventana, él en el mostrador, ambos nos vamos dejando envolver por el crepúsculo. El pinar es una empalizada entre la laguna y yo, donde, en un pantano, la Urdiceira, hay una herida sin cerrar. Arrancaron de allí el cuerpo de María de las Mercedes, esa espina blanca clavada en el lodo, esa anémona con los cabellos sueltos temblando en la corriente. Ofelia, murmuro. Ofelia a flor de agua como en el siempre venerado san William Shakespeare.

Pero estos montes son pobres. Ni siquiera al anochecer

tienen grandeza para poder extender sobre ellos un imponente manto de púrpura digno de dar paisaje a una Ofelia. Y, francamente, sólo por un delirio ambicioso es posible llegar a semejante ingratitud con María de las Mercedes, criatura humana, no de los libros. Ofelia, Hamlet, Escena V, y otras cosas, sobran en este escenario. Saint William Shakespeare lo dijo todo sobre el tema. Lo agotó, nos dejó a todos sin palabra porque escribió una biblia y «en la biblia (cito de memoria) está hasta la defensa de los diablos». Lo mejor es dejar a esa gente en paz con los tramoyistas, o en guerra, si hay ventaja en eso para el teatro. En cuanto al resto me lavo las manos y aparto la mirada del pinar. Nadie tiene la culpa de los cazadores enfrascados en literatura.

Pongo los pies en el suelo: La tarde se ha oscurecido mucho en los últimos minutos. «Infante de la laguna, *fare you well, my dove.*» Me despido de Saint William Shakespeare and Company y recorro intencionadamente la plazuela.

–Dime, capitán Regidor. A ciencia cierta, ¿qué pasó con el Ingeniero?

Y me responde desde el mostrador:

–Lo ignoro. Se habla de suicidio, se habla de un viaje a África. Busque en los bares de Lisboa. –En otro tono–: Perdóneme, estoy muy ocupado con este asunto de los Noventa y Ocho.

–Pero, capitán Regidor...

–En Lisboa, en Lisboa, decretos, noticias, todo en Lisboa.

Me desplazo a Lisboa. En la casa de la laguna había revistas de automovilismo, gallardetes de Monza, placas de rallyes; decidido: escojo el bar del Automóvil Club.

–Dígame, barman del Automóvil Club, ¿qué sucede con el Ingeniero?

–Que yo sepa, nada. He oído hablar de él, vaguedades.

–Entonces, está vivo.

–Claro. Es demasiado joven para haber cogido una cirrosis.

–¿Y qué tal como bebedor?

–Razonable. Whisky solo y vodka con agua.

–¿Y en lo demás?

–En lo demás, pasable en el póker.

–Me refiero a los coches, barman. El Ingeniero Palma Bravo estudió en Francia... Creo que conoció a Jim Clark cuando Jim Clark no era lo que es hoy.

–Es posible. Todo es posible.

–Incluso fue invitado a entrenarse con un Lotus.

–¿Quién?

–El Ingeniero, barman incrédulo. Vi fotografías suyas pilotando un Lotus XXI.

–Oh –dice el barman–. Toda la gente que viene aquí tiene fotografías.

–¿No corría?

–Bueno... correr, corren todos los tipos que vienen aquí. Por lo menos se ponen el traje.

–¿Y él? ¿Era de los que se ponían el traje?

–No sé. Era de los que venían aquí.

–Estás antipático, barman del Automóvil Club. Dame la cuenta.

–Dos whiskys y una llamada al exterior. ¿A qué lugar?

–Gafeira. Pero apresúrate, barman. No quiero probar la paciencia de los otros cazadores.

Diecinueve

En el fondo del comedor, la joven de los pantalones de amazona juega al bridge con tres cazadores. Entre el grupo y yo, por ahora, nadie. Mesas preparadas, cubiertos alineados y, exactamente debajo de mi nariz, un plato humeante.

La muchacha está de perfil, con las piernas estiradas, cabeza hacia atrás, en la posición de los jugadores que se han aislado de la pareja para entregarse a las cartas que tienen en la mano. Así la línea del cuello se lanza como una sugerencia de vela de goleta, libertándose airosamente de los hombros que son ágiles y tranquilos, a propósito para acoger con soltura el brillante, tierno y siempre confiado abrazo de una *Greener 7,5 milímetros*. Toda ella resplandece.

«October sigh»: Toda ella resplandece y triunfa en la paz de la casa porque, prodigio de prodigios, la acompaña el halo de la juventud. Palabra. Lleva un jersey suave como sólo puede llevarlo en octubre un cuerpo adolescente en una tarde tan desagradable, tan incierta. *«October, my October sigh»*, empiezo a canturrear para mis adentros,

mientras en la mesa distante la joven sigue inmóvil, iluminada por el reflejo de un candelero en la pared blanca.

Esta canción, *October sigh,* no ha existido nunca. Y nadie podrá repetirla jamás, ni yo mismo, que acabo de in-
ventarla y que no la recordaré mucho tiempo. Ya la he
olvidado, *my October sigh, my silly and dearest sigh.* Y así
es la vida. Se olvida lo que no existe, unos acordes, unos
versos imaginarios, y se olvida lo que es real e insondable,
como la sonrisa de un astronauta a dos columnas del periódico, o el espectáculo de una joven resplandeciente.
Hermosos hombros para contemplarlos con gentileza. Con
mucha, mucha independencia. Y piernas admirables, por
lo que se puede apreciar a través de unos pantalones de
montar. Deben de ser blandas al tacto, sin grandes masas
de músculo y, por eso, ideales para expediciones largas.
Dios quiera que lo sean, *my October sigh.* Pocas cosas habrá
en el mundo más hermosas que una mujer entre juncos
apuntando a un ave en libertad.

El estilo: María de las Mercedes tenía un cuerpo muy pa-
recido, esta indiferencia por los «otros», incluso algunos
gestos iguales. ¿Usarán los mismos artificios ella y la muchacha que juega? A esto se llama *pedigree,* bien nacido, y
de eso vienen las semejanzas que distinguen. Basta pasar
revista a la mesa del fondo para darse cuenta de que todo
el grupo tiene aspecto de casta empezando por el caballero
del bigote a lo campesino y de chaqueta de piel de caballo.

El hombre me recuerda a un monarca exiliado, de paso
con sus hijos por un mesón de cazadores. Es el Pater que
juega al bridge en familia. ¿Será así? Lo que sí tiene es una
mirada parda y sin curiosidad, como he visto en las fieras
saciadas. El bigote de campesino en un rostro tan cuidado
lo hace todavía más inconfundible y más distante. Pero,

basta. No sea cosa que se sienta observado. Para no darle
ese placer, abro el periódico. Casta, *pedigrees* y comparaciones con clases de animales son un lamentable acompa-
ñamiento en cualquier comida. No hay capítulo de novela
que resista una retórica tan descaradamente colorista...

«Portuguesismo y contemporaneidad»: ...Como no hay
lector de periódico que resista un artículo de fondo. Viene siempre escrito en prosa sensata y tiene el gusto reca-
lentado de la retórica y la burocracia.

Señora doña hospedera, ¿es posible hacer tortillas con
retórica? Claro que no, no faltaría más. Como tampoco es
posible admitir que un cuerpo como el de aquella joven
soporte la menor figura de retórica. Ni la más mínima.
Retórica es la máscara de la impotencia y aquel cuerpo es
lo suficientemente afirmativo para rehusarla. Suficientemente elaborado, quiero decir. Vale por lo que es. Vale
más que el mayor slam que alguien haya hecho en la historia del bridge. Piernas asombrosas, eso sí que lo son.

«Inauguración de una Cantina escolar»: Lo más descon-
certante es que ella no montaba, yo sigo superficialmente
el periódico; y con este «ella» no me refiero a la muchacha
que está delante de mí, sino a María de las Mercedes.
Aunque tenía las esbeltas piernas de amazona y entendía
de caballos desde pequeña, no montaba. A no ser, como
dijo el Regidor, en la feria anual de Galegán.

Y, sin embargo, ella fue de niña alumna de los picaderos,
cabalgó los domingos en Cascais y en el campo del Jockey
Club. Y he aquí que de repente se para, lívida. Ningún caballero sabe responder a las revoluciones que el cambio de
edad provoca en la sangre de las muchachas y allí hay un
caso: una muchacha, María de las Mercedes, se baja del ca-

ballo; prácticamente se dejó caer. Sorprendida y extrañamente infeliz, se lleva las manos a los senos aún incipientes.
Después espera.

«Le pasará con la edad», dicen los caballeros de mayor
experiencia. «Con el matrimonio», piensa la madre. Y
María de las Mercedes arregla las espuelas y se observa
con curiosidad. Tiene las caderas y los riñones bien plan-
tados, como los de los que crecen practicando equita-
ción. Le cuesta creer que se ha hecho mujer tan pronto. (A
los once años, a juzgar por el retrato suyo que había en el
gabinete de Tomás Manuel. A lo más once años.)

«*Monjes de Viet Nam... La Purificación Por El Fuego*»
(Reuter): Ahora un momento. María de las Mercedes,
alumna de un externado religioso; María de las Mercedes
trastornada por los misterios del propio cuerpo; María de
las Mercedes novia de un Palma Bravo; ¡lo que sufriría
María de las Mercedes esos años de espera! ¡Cuántas no-
venas no habría prometido y, una vez casada, con qué ansiedad hubiera vuelto a subir a un caballo!

Me hago cargo:

A escondidas, aprovechando la ausencia del marido,
ella se sube al estribo, y la aguijonea el antiguo consejo:
«Matrimonio... La naturaleza se apacigua con el matrimonio...». Da entonces los primeros pasos, los primeros
estirones a la brida. Ahora al trote; después más brida,
más espuelas. A la carrera, a galope tendido, la duda, más
espuelas y más viento, más galope. Se pierde en la alegría
reencontrada, vuela detrás de dos narices en carne viva
que se levantan para abrir camino, con ritmo, furia en-
cendida de crines al viento, pero cuando menos se espera
se revuelve sofocada, aprieta los dientes, se pone en ten-
sión, y el caballo crece delante y debajo de ella, envolvién-

dola en calor, sangre caliente y músculos. Hasta que consigue dominarlo y se deja caer hacia adelante, vencida. Está abrazada a un cuello erecto y que palpita apuntando a las nubes, por el que resbala un salitre espeso y tibio que la inunda. El sudor animal aviva los colores de la tierra. María de las Mercedes, incapaz de apearse, siente los labios fríos, las nalgas ardiendo...

Alguien me toca el hombro. Me vuelvo y me encuentro con dos brazos extendidos hacia mí: el padre Novo.

–¿Conque sólo se acuerda de nosotros cuando hay cacería?

Reí alegremente. Es un cura bien dispuesto que anda siempre con prisas entre la iglesia de Gafeira y el colegio de la ciudad. En una mano trae el *Match* enrollado, en la otra un cigarrillo.

–Sí, señor. –Y me mira satisfecho.

Le ofrezco un aperitivo. Acepta, pero ha de ser de prisa:

–Me he comprometido para estar a las ocho en la ciudad y todavía quiero ir a ver al padre Tarroso.

–Pequeña –llamo a la criadita–. Dile a la señora que prepare un cinzano para el doctor. Ella sabe cómo hacerlo.

Y para el padre:

–Cinzano con cáscara de limón y una aceituna.

–Caramba, ¡qué memoria!

–De jugador –añado mirando a la mesa del fondo aunque considere viciada la memoria de los jugadores. Tal vez la joven del jersey de octubre la tenga así, viciada, mecánica o hecha de asociaciones supersticiosas; o tal vez no sea ni siquiera una jugadora. De todas maneras, siempre es preferible una memoria de jugador a la memoria de un cerebro electrónico. Señalo el diario de la tarde:

–Los americanos anuncian el primer convoy sideral.

–Y nosotros tenemos que pedirles hora para saludarles desde aquí abajo.

–Así es –digo yo, riendo–. O preguntamos a los rusos.

–Preguntemos a De Gaulle...

–Subversivo. Dejó perder Argelia.

–En ese caso, preguntemos a Ian Smith –insisto.

–Peor. Teóricamente, Ian Smith es subversivísimo. Se rebeló contra la metrópoli...

Sin querer nos habíamos puesto a jugar, como un año antes, al *Juego del Ojo Vivo,* que tuvo su origen en una velada. Es un juego local, muy nuestro. Muy de Gafeira y alrededores. Un cosmonauta como Edwin Aldrin difícilmente podría tomar parte. Por más astuto que fuese y por más obcecado que estuviese con historias de espionaje nunca conseguiría juntar tantas razones subversivas como nosotros aquí en Gafeira.

–Otro tema –propone el padre Novo.

–¿Otro? Caza.

–Caza es fácil –responde–. Cazar-tiros... tiros-revolución... revolución-subversivo... ¿Ve usted?, con tres asociaciones he resuelto el problema.

–La culpa ha sido mía, que escogí un tema tan sencillo.

El padre levanta un dedo como si anunciase una verdad eterna:

–Sólo a los portugueses atentos se les concede el privilegio de jugar al *Ojo Vivo.*

–Exactamente –digo.

Ésa era aproximadamente nuestra definición del juego. Lo reconozco, solíamos proclamarla como si fuese una verdad de secta y, por tanto, también subversiva según el Código Civil. La recitábamos con ese aire de falsa solemnidad con que los colegiales imitan una sentencia pomposa de un rector caduco. Pasatiempo patriótico, así calificábamos al *Ojo Vivo*. «*Un pasatiempo patriótico sólo para buenos portugueses*», me dicta la memoria inesperadamente, y en seguida me acuerdo de un artículo de fondo del periódico y de un gobernador civil haciendo discursos. Nadie, entre ellos, hablaría mejor.

El padre Novo:

–¿Se acuerda del médico aquella noche en mi casa? El tipo desconfiaba mucho de nosotros. Estoy seguro de que no entendió un pimiento del juego.

–Tal vez era fascista.

–¡Qué va!, no hay médicos fascistas. Médico-ciencia... –insiste el padre–, ciencia-pensamiento... pensamiento-subversivo. Ésta también es fácil.

–Estamos desentrenados. Cualquier cabo de escuadra nos ganaría al *Ojo Vivo*.

–Pero es que hace un año que no jugamos.

–Un año, exactamente. ¿Es verdad que ha huido Tomás Manuel?

De repente, el padre Novo se pone serio. Recibe el vaso de cinzano de manos de la criada y sólo después se vuelve hacia mí:

–Sí... –Me mira con curiosidad.

–Terrible, ¿no? Nunca pensé que un pobre diablo como Domingo pudiera ocasionar tanto estrago.

–¿Cuándo te enteraste del asunto?

–Hoy –respondo–. Esta tarde.

–¿Hoy? –El padre se inclina sobre el cinzano, revuelve lentamente la bebida con la aceituna clavada en un palillo. Momentos después con voz ausente, meditada–: Realmente es terrible.

–Para morir. Y lo que me espanta es que hay una lógica diabólica en todo esto.

–Demasiada lógica.

–Domingo acababa en manos de Mercedes o lo mataba Tomás Manuel. Tenía que ser así, era cuestión de tiempo. De esta manera se adelantó, dio cuenta de todo.

–De acuerdo. Pero sabe que el tipo murió de muerte natural, ¿no?

–Es lo que digo, se anticipó al crimen.

–Crimen... –murmura el padre Novo–. ¡Con qué despreocupación hablamos del crimen! –Mira el reloj, y de un salto se pone de pie–: Hablaremos después. Mañana cena conmigo, ¿de acuerdo?

–De acuerdo. Ya puede contar con un buen pato –le prometo mientras se acaba el vaso en dos tragos–. Un pato que no sea subversivo. De los que cumplen todas las reglas de la caza...

No me oyó. Atraviesa la sala, diciéndome adiós con la revista. Hubiera podido darle recuerdos para el prior Tarroso. Bueno, que quede para la próxima vez. El viejo tiene el mérito de ser un hombre agradecido a la vida, a pesar de acabar sus días tullido en una silla y de haber sido un buen tirador. Se portó como un esforzado vicario, he oído decir, y cayó en el campo del honor, víctima de su profesión, a causa de una bufanda que le regalaron las señoras de las Conferencias de San Vicente de Paúl. Tanto tejido es mucho, suficiente para ahorcar a una diócesis. Las beatas tienen esos sadismos. Ay, ay, *my October sigh...*

Mientras como en compañía de un periódico leído y releído, comparo al padre Tarroso con los caballeros de otros tiempos que caían en manos del enemigo estúpidamente inmovilizados por el peso de las armaduras. Entre dos arrobas de hierro y una bufanda de siete vueltas, que escoja el diablo. Las dos son una protección estúpidamente infiel. Tan estúpida y tan infiel que no consta que haya habido aventura más sin gloria que ir un ministro de

Dios en su motocicleta, envuelto en aquella cota de malla, retorcida por una brigada de fanáticas, y que sin más ni más se suelte una punta de la bufanda, estúpidamente larga, y enredarse, ¿dónde?, en la estúpida rueda de atrás. La motocicleta se empina, el caballero prior pernea y va por los aires de cabeza contra un pino. Estúpidamente también. ¡Diantre!, eso sucedió en una época en que había en Gafeira nada menos que tres máquinas de tejer funcionando a pleno rendimiento.

Acaban de llegar los otros huéspedes. Parecen un grupo excursionista visitando una sala de museo. Por favor, Messieurs, Gentlemen. Esto es la llamada casa de los cazadores, las paredes datan de mil ochocientos y tantos y están asentadas sobre las termas romanas construidas durante el consulado de Octavio Teófilo. Es histórico, consta en los documentos. Pero no se amilanen, Gentlemen, no se queden ahí parados. Además, en la pared del fondo, pueden observar una pieza admirable, «La Joven jugando al bridge entre cazadores», pero, les advierto, no está en el catálogo. Tampoco está la biografía, lo lamento. Y como sin biografía los guías de museo no saben vivir, lo mejor será que se sienten, señores. Dejen ese aire de concurso porque la caza será mañana, para todos. Calma, caballeros, piensen en aquella dignidad.

En la mesa del fondo, la joven del jersey de octubre sigue con las cartas en la mano. Discreta. Resplandeciente. Ajena a los intrusos. Digna.

Veinte

Ando por callejuelas cubiertas de hierba que se convertirá en estiércol y en vivero de larvas después de pisada por botas cardadas, calores e inviernos; y andando me cruzo con bultos, algunos llegados de la ciudad. Veo el interior de casuchas iluminadas con petróleo, son un espinazo de travesaños cubierto de tejas en forma de escamas. Me recuerdan el esqueleto de un barco. Pequeñas arcas de Noé. En algunas está el gato y el niño, con la barriga al aire y piernas arqueadas; en otras está el perro y la gallina, atada por la pata a una silla, y en grandes barreños de metal se mueven anguilas parduscas. La noche está tranquila, tal vez húmeda.

Siguiendo las calles del arrabal rodeo la población. Del fondo de un nido de piedras se levanta un campesino sujetándose los pantalones y apretándose el cinturón; a la otra parte de un muro se desencadena un bullicio de perros. Me doy cuenta de que estoy en la parte de atrás de la pensión y éste es el patio del granado silvestre con los ejércitos de hormigas que lo cubren y con toda la poesía de sus llagas en flor. ¡Conocimiento, perros, ¿qué es eso?!

Esopo, hermano: Eso, verifico en seguida, mirando a la izquierda, es un burro olvidado en un baldío cualquiera; la imagen clásica del burro esclavo y andrajoso que, ya por sí, figura como animal clásico. Pocas criaturas habrá tan individualistas y con tantas biografías, y con ojos tan ágiles para escuchar (y registrar el mundo). Las orejas, derechas y aguzadas, parecen dos hojas de pitera joven, dos dedos en punta, dos paréntesis que abarcan el paisaje de fuera y el paisaje que lleva dentro, burro. Ahí tenemos a nuestro amigo, inmóvil y muy solitario, como una interrogación en el descampado.

Detrás de él y del vacío de la planicie que se extiende hasta la arboleda, se levantan montes negros. Una hilera de luces cuelga encima de la aldea, diminutas luciérnagas que tiemblan. Pienso: «Las bicicletas. Los ciclistas bajan por la serranía». Y tal vez, mientras pensaba, oía mi propia voz.

Las luciérnagas: Entonces, sobre el atlas nocturno que estoy recorriendo –cuestas, perfiles ciegos, callejuelas y caserío– plasmo un poema aventurero, un poema-galaxia, todo él escrito en la memoria. La primera línea sería «luciérnaga». Así: luciérnaga / Ernaluci..., y todo lo que se me ocurriese. Después pongo señales, los publicitarios y desacreditados signos de exclamación y los desiertos guiones, tensos e inaccesibles como barras de trapecista; y con esto y mi tipógrafo (que es la mano definitiva del poeta) compongo los más acabados versos:

LuCiÉrNaGa — ! — ! — ! viene
s
o
b
r
e

l
a
ALDEA

(las bicicletas)

«Luciérnaga» –prosigo, con los ojos en las luces, en el poema–, «Erna-luci, Naga-erlu... Ay, flores Viejas», y sé muy bien que no se deben tocar, ni en broma, las coronas funerarias que los poetas escolares de mi aldea –Gafeira y capitales del país incluidas– fueron a buscar en los compendios franceses. Estos pétalos de poesía tienen casi medio siglo. En su tiempo destilaron una esencia auténtica y destructora cuando eran colocadas entre la palabra MERDE y los más enternecedores lazos familiares.

«Viejo, ¿sabes quién fue Monsieur Dada, que jamás existió? Pues las flores viejas son suyas, él fue el que las inventó...» y soportémoslas, nadie puede evitar que nuestros correos literarios estén tan atrasados y que los académicos en edad militar adornen las mesas de los cafés con esas flores de sarcófago; que las pongan en el mármol alrededor de la jarra y el vaso de agua, con la misma seriedad con que los heroicos supervivientes de la guerra de 1914-18 alineaban dalias mutiladas a los pies de los monumentos escribiendo con ellas la palabra PATRIA y levantando un estandarte con muchas condecoraciones, como, sin ir más lejos, nadie puede tampoco evitar que un cazador, a altas horas de la noche, se entretenga con su

poema-código compuesto de faroles de bicicleta. Está de
más, es mejor olvidarlo. Rápida y meticulosamente, deci-
do. No faltan tumbas –en las tertulias del Chiado y alrededores– donde las flores viejas son cultivadas por manos desvanecidas.

Un nicho: Sigo andando, desemboco a la carretera por
un atajo, pero antes veo una tasca casi clandestina, como
las de las ferias pobres: una tabla larga sirve de mostrador y unas cortinas separan la tienda del cuarto de dormir.
Sentados bajo una lámpara de petróleo, tres hombres
envuelven las escopetas. Las tienen sobre las rodillas,
les pasan un paño, las acarician. Si estuviese aquí el
Regidor, diría: «Eso es, todos se preparan para la fiesta
de la laguna».

Los faroles de las bicicletas se me acercan por la espalda alargando mi sombra y dejándome atrás. Surcan la
carretera con un rasguño suave, pero, a medida que se
acercan a Gafeira, se animan en zigzag. Suenan las campanillas, sólo se callarán en la puerta del café.

Humo: Ahora interrumpen mi camino unas nubes de humo caliente, cargado de ternura y de recuerdos, que viene
de un patio situado en la entrada de la aldea. Me desvío, pe-
netro en la nube y voy a parar a un horno de pan, atraído
por el maravilloso aroma de rama de pino ardiendo. Llamaradas calurosas, masera de tabla cepillada, la hábil
pala de la panadera y la blancura del lino que cubre la
blanca harina, todo se ahoga en niebla, en albura, yo in-
cluido. Me arden los ojos y, aun así, sigo preso de la como-
didad acogedora, del secreto y las seducciones que hay en
un horno de pan. Sólo después de bastante tiempo consigo apartarme de aquel tugurio consolador, y entonces me

admiro: también la aldea se encuentra cubierta de bruma. ¿Bruma o humo de pino?

Después de un día luminoso como hoy, una turbación así, repentina, no engaña a nadie. Son los vientos que cambian, son ellos, la brisa del océano que entra por la costa cargada de polvo de agua, de niebla. Aire de mar. Correcto, concuerda con el boletín meteorológico que, una vez en la vida, se decidió a cumplir su palabra. De madrugada tendremos el prometido noroeste, agradable, suave, para impedir, como conviene, la fuga de las aves hacia el mar. Sólo falta que amaine durante la tarde para facilitar una deslumbrante entrada de patos en la laguna al ponerse el sol. Eso sería correcto, correctísimo. Por nada de este mundo quisiera estar en la piel de esos caballeros que descansan ahora entre los juncos, anclados en el sueño. Y con eso son casi las diez.

Las luces del café se derraman por el gris claro que ha invadido la noche, el bullicio de los ciclistas aumenta. Gente que llega, una radio que grita, la mujer que llama a su hijo, y yo atravesando este tumulto en dirección a la hospedería. Al momento de abrir la puerta se para a mi lado el Morris 850 del padre Novo.

—Vengo de la ciudad. Acabo de encontrarme con el Ingeniero en el puesto de gasolina.

Dijo esto sin quitar las manos del volante. Como si fuese a correr la voz y tuviese prisa.

Veintiuno

–¿**E**n el bar de la Shell? –pregunto.

El Padre, sin dejar el volante:

–Borracho como una cuba. Y se prepara para venir acá.

–¿Viene a Gafeira Tomás Manuel? No puede ser. ¿Le dijo dónde vivía?

–Lo más grave –continúa diciendo el padre Novo sin dejar de mirar al frente, hacia el parabrisas–, lo más grave es que no tardará mucho. Hay mal ambiente entre esta gente. Dios santo, si él viene esto será un infierno.

Me asomo a la ventana del coche:

–Los curas sueñan siempre en apocalipsis.

No me responde. Tiene el motor apagado, pero es como si estuviese de viaje, muy atento al volante. Dan ganas de gritarle: ánimo, padre –doctor–, y de hacerlo volver en sí con una saludable palmada en la espalda. De la manera que está no es más que una sombra vigilante.

–No se preocupe que, incluso con las copas dentro, Tomás Manuel sabe muy bien hasta dónde puede ir –digo yo hacia dentro del coche.

Y la sombra:

–No se imagina lo preocupado que estoy.

–Eso sí que no me lo imagino. Sería un trastorno para la parábola si el hijo pródigo volviera al hogar con una borrachera.

–Y pensar que nada de eso habría sucedido si yo hubiera tomado en serio a Domingo –continúa diciendo la sombra hablando hacia el parabrisas. Se vuelve en su asiento, los lentes brillan en la penumbra, dirigidos hacia mí–. Tres días antes de morir vino a hablar conmigo para que le buscase trabajo en Lisboa. Y yo, estúpido, sin darme cuenta.

Me aparto del coche, tengo las manos húmedas por la capa de rocío que lo cubre. El padre Novo se pone, distraídamente, a hacer señales con las luces, enciende y apaga, enciende y apaga.

–Créalo, podría haberlo salvado. Mi error fue el no darme cuenta de hasta qué punto estaba asustado.

–Ese Domingo era extraño.

–Orgulloso. Un tipo raro, y no lo parecía –dice el Padre–. Tomás Manuel lo había golpeado la víspera a causa de un emigrante y yo creí que por eso quería marcharse. Qué estupidez. No puedo perdonármelo.

En la claridad que los faroles abren en la niebla, surge un hombre rodeado por una banda de muchachos y envuelto en vaho. Viene de la plazuela, cargando un haz de cañas al hombro que son, todo lleva a creerlo, cohetes con hilo encerado y palos cortados.

–¿Son para hoy? –pregunto cuando el grupo pasa por nuestro lado.

El cohetero y compañía se detienen. El hombrecito huele a pólvora a media legua de distancia y mucho más cuando, arrimado a mí, mira dentro del coche. Es verdad, apesta a pólvora y a estiércol. Debe ser de los que llevan siempre en el bolsillo del chaleco uno de esos encendedores de mecha que nunca fallan cuando se trata de encender guías. Explica él:

–Aquí llevo, padre, este haz de cohetes para alegrarnos a media noche, con otros tantos que el Regidor ha convenido en proporcionarme. Todavía no he cenado, tengo que preparar aún tres morteros para mañana y ni siquiera puedo contar con la ayuda de mi muchacho, que, por lo visto, se ha quedado en la ciudad, debido a la hora que es. ¿Creería usted, padre, que con todo ese trabajo tengo que arrastrar a toda esa canalla detrás de mí? Diablos que me han hecho la vida imposible. Iros, muchachos, id con vuestras madres. Antes de la media noche voy a perder la cabeza.

Desahogó sus penas y se fue. Se evaporó más rápido que un fósforo con la chiquillería detrás, absorbido por la bruma.

–Ven a mi casa –me insiste el padre Novo.

Se lo agradezco pero no acepto. Me siento intranquilo con ese regreso a Gafeira. Un año vivido así, en una tarde, desorienta. Es un fardo que no se puede cargar fácilmente, sobre todo cuando en su interior hay difuntos que hemos conocido y olvidado y que inesperadamente nos caen encima con todo el peso de sus secretos. Cargo con ellos, lo quiera o no. Esperaba encontrar referencias en Gafeira y no las tuve, y eso me desorientó en este día de fiesta.

–Gracias, pero me conviene acostarme pronto –respondo–. Mañana tengo que enfrentar varios patos. Uno por lo menos.

–Dios quiera que lo podamos comer en paz –dice el padre–. Tengo mis dudas.

–Ya verá como sí que lo comemos. Pero a estas horas él tiene ventaja. Apuesto a que está en el segundo sueño.

Mi amigo sonríe con desgana:

–Tú hablas de los bichos con una especie de fatalismo. Hay también algo así como un código de honor, no sé...

–*Una visión sentimental de la vida animal... ¿Es eso?*

–En cierta manera. A veces llega a parecerme un juego lleno de reglas. Los animales cumplen su destino de caer en el campo del honor, y tú los matas con nobleza. Pero, por lo menos, entra. No me gusta verte ahí cogiendo humedad.

Acepto. Sólo un rato, sólo el tiempo de fumar un cigarrillo porque el pato que tengo que derrotar mañana, etc., etc...

–Es lo que digo, la caza para ti tiene todo el aire de una batalla clásica.

–Para mí y para todos los cazadores que se dan el lujo de respetar estas reglas –insisto. Y sentado a su lado empiezo a defender teorías y conceptos de exigencias en el placer y, después, la necesidad de reglas y de esquemas. Y todo esto con la intención de distraerlo y dudando en el fondo de si tales esquemas, tales tácticas y lo demás son simplemente una visión literaria de la existencia animal, sabiendo, al mismo tiempo, cuánto me desagradaría que lo fuesen y, sin embargo, tal vez lo son.

–¿Cómo? –pregunta una voz a mi izquierda, pero tan apagada que no engaña a nadie: el padre Novo estaba en otro sitio, recordando el bulto lejano de Tomás Manuel. O pensando en Domingo, pongo por hipótesis. Una de las dos.

Ahora está inclinado hacia delante, mirando el reloj a la luz del cuentakilómetros. Cuando se endereza suspira profundamente.

–No sé si sería mejor ir a buscarlo...

Me callo, es asunto suyo. Y otra vez se pone a hablar con el parabrisas.

–Sólo temo que sea peor si yo me presento. Es capaz de sentirse en la obligación de poner en práctica las amenazas y entonces seguro que viene. No sé, sinceramente, no sé...

Siguen llegando ciclistas y la televisión del café sigue recibiéndolos con música y publicidad comercial. Una vieja que seguía su camino se vuelve atrás para echar una mirada al coche. «Santas noches», mascula; y sigue. Está en el aire el eterno pregón de la madre que busca a su hijo y, a mi izquierda, el murmullo del padre: ¿Voy? ¿No voy?

No comprendo, sinceramente, no veo cómo la ira y el orgullo del Ingeniero pueden pasar de una alarma calculada, de una simple amenaza distante, a Gafeira. Por alguna razón se metió en el bar donde había dejado tan malos recuerdos; por alguna razón, también, escogió este día para hacerse recordar en la aldea que lo creía perdido. Y mi compañero duda de si irá o no, siguiendo el juego. ¿No es ingenuidad?, critica el más elemental sentido común.

–No sé –dice su rostro mirando la neblina–. Sinceramente no sé...

–Desafiar el orgullo de los borrachos no es bueno –insisto–. Pero si quiere que lo acompañe voy con usted.

–¿Tú te entiendes con él?

–Nunca más lo he vuelto a ver, pero eso no es dificultad.

–¿En serio que no lo has vuelto a ver?

Levanto la mano solemnemente.

–Lo juro. Le mandé una felicitación por Navidad, es todo.

–¿Y no lo encontraste en Lisboa?

–Hombre, ni en Lisboa, ni en ninguna parte. ¿Por qué?

El padre Novo mueve la cabeza.

–Es fantástico. Los líos en que se mete ese hombre.

–¿Líos?

–Nada de importancia –dice el Padre–. Tú sabes cómo es él. Inventa historias y después se las cree.

–Me doy cuenta. Esta vez me enredó a mí en el lío...

Sonrisa cansada del Padre:

–Cosas de muchacho.

–Está bien, pero, ¿de qué se trata?

–Un enredo como cualquier otro, no me acuerdo exactamente. Un proceso a causa de una novela o no sé qué. Si quieres que te diga, ni siquiera presté atención.

–Con eso me enredó, novela...

El padre ríe abiertamente.

–¡Escrita por ti!

Casi doy un salto en el asiento.

–¿Por mí?

–Sí, señor. La biografía de una manicura que él te presentó.

–¿Manicura? ¡Nunca! –proclamo en voz alta ante el Padre, que ríe cada vez más–. Lo que me faltaba, enredarme con una institución tan poderosa como las manicuras. Como si yo fuera tonto, mi querido doctor.

–Pues aguántate, que fue lo que te reservó Tomás Manuel.

–¿Que aguante?, ni hablar. Las manicuras no son para bromas, ¿qué se cree? Disponen de los mejores ficheros, conocen los secretos de toda clase de clientes, son una fuerza auténtica. Cuando lo vea dígale que me cambie la heroína.

–¿Yo? ¿Para qué? ¿Para que te consiga otra peor?

Con aquellas gafas chispeantes cuando ríe, me cuenta cómo determinada manicura que usaba barniz de plata entró en relaciones con un novelista, confiada en su discreción y en su fidelidad al hecho real; cómo después, el mismo novelista, que era yo, puso en la sagrada letra de imprenta las confidencias oídas alterándolas sin piedad; me cuenta también el desdén del Ingeniero protector que salió en defensa de la ofendida, y, para acabar, lamenta, sin acritud, la paciencia de un sacerdote que lo escuchó confusamente cuando él se encontraba en el auge del furor y del whisky. Concluye:

–Tomás Manuel sólo esperaba que tu libro se publicase para presentar una queja en los tribunales.

–¿Lo ve? –corto en seguida–. ¿Las manicuras son o no una institución? ¿Está viendo cómo se enreda un escritor en media hoja de papel sellado?

–Aguántate, de ésta ya no te libras.

Me alegra que mi compañero se deje de ideas supersticiosas que le quedan bien a un cura de pueblo pero no a él, pastor que confía en Dios, no en los diablos. Los pregoneros de un diente y las comadrejas de sacristía son los que se deleitan inventando diabluras porque las necesitan como el pan para la boca. El padre Novo, no. Tiene la alegría del que cree de buena voluntad, o sea, no por miedo y, además de ser una buena pareja en el *Juego del Ojo Vivo,* es un oidor paciente de historias del Ingeniero. Ésta me cuadra, me digo a mí mismo. Podía esperar cualquier jugada de un Palma Bravo menos la de meterme en conflicto con las manicuras. Manicuras, ¡qué responsabilidad!

–Bueno, ¿y de dónde era la heroína? ¿Puedo saberlo?

Pero, para mi sorpresa, el Padre se había puesto bruscamente seco y sombrío.

–No tiene sentido... Nosotros aquí bromeando y él, pobre, tan solo.

Intento disimular.

–No tan solo. Tiene todas las manicuras que quiera inventar. ¿Le parece poco?

Se hizo un muro de silencio entre los dos; mi compañero está de perfil con las manos en el volante.

–Eres cruel –murmura al cabo de un rato–. Nunca lo
hubiera creído.

–Soy un escritor negativo –le respondo–. Eso no importa, déjelo estar. Cualquier día aprovecharé para hacer
mi revisión.

Cuando subo al cuarto de la hospedería llevo conmigo el
recuerdo amenazador del Ingeniero, inclinado sobre un
vaso de whisky y terriblemente solo, él, que tanto deseó
compañía. Los peldaños de la escalera crujieron uno a
uno... «Uñas de plata... uñas de plata...» Ha haber alguien
con ese apodo.

¿Un guitarrista?

Veintidós

Sentado en el extremo de la cama, el cazador, en vísperas de la expedición, contempla con mirada vaga el brasero que la dueña de la casa mandó poner en su cuarto. Piensa en todo y en nada –en el padre, en el Ingeniero, en anguilas (y a propósito de anguilas, un adagio africano: «No por mucho estar en el río el palo se convierte en serpiente de agua»); piensa en el fatalismo sentimental con que habla de los anïmales, sus adversarios en la caza, y que no le gusta nada (las antropomorfizaciones le parecen una bravata, lo crea o no el padre Novo, le parece una palabra fea, an-tro-po-mor-fi-za-cio-nes) y con eso tiene conciencia de estar atrasando el sueño. Además también hay ruido en la calle, música y campanillas; se dirige a la ventana para cerrarla.

Por los cristales bajados hasta la mitad entra el aire de la noche, ahora se da cuenta de que tiene un sabor a humo. Es bueno estar así, en un cuarto con rescoldo en el brasero, y recibir de frente una brisa condimentada con un poco de aroma. Excelente idea, la del brasero. Pocos cazadores habrán recibido tantas atenciones de parte de una hormiga-reina hospedera.

En la acera del café se alinean las bicicletas, cada una con un cesto de anguilas en el manillar. En la puerta y en el mostrador los campesinos-obreros forman grupos, son inconfundibles porque llevan chamarras de cuello alto (como cuando bajaban por la serranía) y por los pantalones ajustados con gomas en los tobillos. En medio de ellos corretean los hijos y algún perro curioso y todos, hombres, niños y perros curiosos se mueven en la penumbra de la calle hacia la tienda de donde salen la música y el vino. Se comprende, es fiesta. *Espectáculo completamente moral*. Mañana, Año Uno de la era de los Noventa y Ocho. (He leído esto en alguna parte: *Espectáculo completamente moral. ¿Anuncio de feria? Pero ¿dónde y cuándo?*) Mañana 98-Escopetas-de-la-Región-98 participarán en las pruebas de la laguna, con todo el boato de los días grandes. Habrá romería entre los árboles, baile, música - Patos, Gorríos, Zancudas / & Otras Aves del Tiempo / Cortejo de Barcazas / Perros a Gusto de los Sres. Cazadores. Es la fiesta. El mismo Regidor acaba de hacer su entrada, deteniéndose en la puerta del café, con un rollo de papel en la mano y el sombrero echado hacia atrás, sombrero que se desprende hacia distantes alturas. Viva, Regidor de amplios sueños, capitán de los Noventa y Ocho.

En eso se abre un claro en mi memoria: «Uñas de plata. Es ella la mujer del crimen perfecto». Y en ese claro reflejado en los vidrios de la ventana aparece mi rostro moviendo los labios.

Ya no hay calle, hay media ventana donde yo estoy instalado y, en segundo plano, otro individuo, el Ingeniero. Los dos bultos se encuentran frente a frente encuadrados en una amplia sala y todos los movimientos que hacen se deslizan en la negrura del vidrio como en un espejo desenfocado por la distancia. Sus labios no paran y sus manos se agitan, dibujan gestos. Hablan. El tema de la reunión es el crimen. Libros y teorías del crimen, ya que ésta es la noche de la dama de las uñas de plata, noviembre de 1965.

–Amigo –me encuentro diciendo en la ventana que da a la galería que está sobre la laguna–, la literatura policíaca es un tranquilizante para el ciudadano acomodado. Toda ella tiende a demostrar que no hay crimen perfecto.

Tomás Manuel lo pone en duda. Recorre o va a recorrer la constelación de novelas policíacas que tiene en el estante de su gabinete: Carter Dickson, Gardner y El Santo, Rex Scott y Nero Wolfe... (y Simenon, añado por mi cuenta. Y Hammett y los escribanos de la Inquisición, y Sir Edgar Allan Poe, que nunca fue sir, y el *Reichsführer SS,* Walter Schellenberg, que nunca fue novelista y sin embargo relató crímenes bien planeados como pocos. Pero no creo que haya ventaja en ponerme a enumerar tantos nombres. No sólo no conseguirían impresionar a mi amigo sino que llenarían tres o cuatro líneas del texto sin párrafo.)

–Esto de que el crimen no compensa es también una buena anécdota –dice él. Bosteza largamente, recostado en el sofá (y lo envidio por eso. Tiene sueño. Cuando se vaya a la cama dormirá como un justo, sin bicicletas que tintineen, ni pesadillas de dientes de Viejo). Se pone de pie–: Se han debido cometer crímenes de alta compensación.

–Está bien, pero no los cuentan las novelas. El burgués pacato necesita creer en las instituciones. Enseñarle que puede haber crímenes perfectos sería un desastre.

–Pero es que los hay. Por definición, todos los crímenes que no se descubren son perfectos. –El Ingeniero da dos vueltas por la sala y después me sale con ésta–: Hasta yo conozco uno, ya ves.

–¿Un crimen perfecto?

Pausa larga. Parece que estamos en el teatro.

–Perfectísimo. Con título y todo.

–No me digas. Un crimen perfecto, ¿y te lo guardabas?

–Es verdad –continúa mi amigo–. El caso de Uñas de Plata.

–Estupendo, gran Sherlock. Dilo de una vez y no te lo guardes tanto. ¿Por qué de las Uñas de Plata?

–Porque era el barniz que ella usaba. Siempre se pintaba las uñas de este color. Un acero plateado, ¿sabes cómo es?

–*Go on,* Sherlock, *go on...*

Punto por punto, mi anfitrión empieza a describir, una bella mujer iluminada por el rosario de unas uñas venenosas que le coronan los pies y las manos. Le pone un rótulo (o los coloco yo, lo mismo da): «Mujerzuela de gran categoría en la primera metamorfosis», que la sitúa entre las jóvenes de principios que se extraviaron después del divorcio y empezaron su independencia explorando apartamentos amueblados y pequeños contrabandos de buen gusto. Es suficiente, detalle más detalle menos. Rápidas visitas a la Bernard por la tarde y a la Marques, vacaciones en la Costa Brava o en playas salvajes, y cuenta en boutiques para garantizar el excitante rasgo de independencia. Tomás Manuel la conoció («*Racée,* hembra cuatrocientos por cien y llena de categoría. ¡Ah!, si este Jaguar pudiese hablar...») y con el famoso Jaguar, con el Lancia que en gloria esté, y antes, con su primer Porsche, la acompañó como amigo y como confidente entre sábanas. Pero llega el día en que la dama de las uñas de plata se une a un viejo de las altas finanzas y entonces empieza el drama que acabará en crimen. Final del primer capítulo.

–¿Otro whisky? –pregunta mi compañero.

–Yo que tú, Sherlock de pacotilla, no pondría las cosas en términos tan simplistas. Las jóvenes independientes sufren a veces de un ansia de protección, y yo salpicaría la historia con unas gotas de complejo de Edipo.

–Ve a burlarte de otro.

–No me estoy burlando, salgo al encuentro de los lectores. Lo ideal sería que el viejo fuese amigo del padre de la chica. ¿No quieres? Bueno, está bien, no lo compliquemos.

–¿Cuento la historia o no?

–*Please do,* míster Holmes.

En el capítulo siguiente se oyen discusiones de celos, enfados del viejo, la receta que se esperaba. El hombre tenía una arteriosclerosis avanzada y se aprovechaba. A la más leve contrariedad daba el aviso: cuidado con lo que haces, niña de las uñas de plata. Si se separaran, peor, acabaría todo. No resistirías, niña de las uñas de plata. Arranques del viejo que tan pronto amenazan a los otros con la muerte como les prometen testamento y felicidad si la muerte llega tarde y a su gusto, o sea, nunca.

La muchacha se llevaba las manos a la cabeza y corría hacia el Ingeniero: «Tomás, me ahogo. Cualquier día acabo con ese monstruo. Tomás, me ahogo. Cualquier día hago una burrada... Tomás, Tomás...» Estaba tan preocupada que ni siquiera cuando estaba con su amigo se olvidaba del viejo. Eso, me confiesa el Ingeniero en un aparte, le daba ganas de mandarla vestir y ¡hala!, a la calle, palabra.

Intento dar la sugerencia clásica:

–Móvil del crimen, el dinero. Armas, los medicamentos. ¿Acerté?

–No, en absoluto.

Tomás Manuel está como conviene a una historia policíaca: hogar en el fondo de la sala, escopeta en la pared, silencio en la laguna. Yo soy el indispensable oyente que se interesa en buscar el nudo del problema. Y a eso vamos.

–Es sencillo –dice él–. Como plan no tiene nada de complicado, pero es sensacional. Un verdadero huevo de Colón. Sólo esto: usar el amor como arma del crimen.

Confieso que no lo entiendo bien:

–¿Amor como arma del crimen?

–Así es. La chica excitaba al viejo durante la digestión, ¿entiendes ahora? Le obligaba a darlo todo, y un día la arteriosclerosis tenía que matarlo. ¿Es o no genial?

Delante de mí, en las anchas vidrieras de la sala, el Ingeniero está inmóvil, esperando.

–¿Estás seguro de que fue así?

–Por lo menos éste era el plan –responde él–. La mala suerte fue que él murió antes de hora.

–¡Qué pena!

–Es verdad. Se le ocurrió tener un síncope en familia con médico de cabecera y todo. Pero eso no influye. Como plan era infalible.

Tomás Manuel se queda otra vez parado, mirándome. No me pronuncio inmediatamente sobre el plan de la dama de las uñas de plata; tengo mis razones (y mis lecturas policíacas, como todo el mundo).

–Dime una cosa –le pregunto poco después–. ¿Sabes si el viejo estuvo con ella ese día?

–Creo que sí. Por lo menos a la hora de comer. Comían siempre juntos... ¿por qué?

–¿Y cuándo murió? ¿Esa misma noche?

–Esa misma tarde. Parece que llegó a casa... –Y de repente el Ingeniero da un salto–. Vaya, no me digas... –Se sienta en el sofá, me mira. Aturdido, sin dejar de mirarme intenta comprender, ganar tiempo–. Eso mismo –concluye con un susurro lento–, no tiene nada que ver. La muerte no se da siempre en el mismo acto. Sin duda... En ese caso, ¡caramba!, en ese caso fue ella la que lo mató.

La niebla viene de abajo, de la calle de los ciclistas, y empaña los cristales. El calor de la casa se vuelve más pesado.

–Lo mató, la víbora. Lo mató después de comer –continúa diciendo para sí Tomás Manuel–. El vejestorio salió vivo de la casa de la fulana, pero ya iba arreglado... Es terrible, nunca me había fijado en eso.

–*Mors post coitum* –acabo, como cualquier médico que da una sentencia definitiva. En ese momento ya no veo reflejados en la ventana ni en sueños a dos amigos colgados en una claridad.

Veintitrés

La aldea ha ido envolviéndose en la niebla, es una mezcolanza de bultos que hormiguean alrededor de una gruta de luz: el café.

Debajo de esta garita, de este mi puesto sobre Gafeira, debajo de la planta baja, que la dueña de la pensión ha convertido en comedor, y más hondo, treinta o cuarenta palmos más hondo, hay acueductos subterráneos (abad Agustín dixit), opulencia, vestigios de un tribuno que firmaba Octavius Teophilus, varón consular. Estoy rodeado de familias y casuchas construidas sobre un osario de la historia. Los ciclistas y las viudas de vivos se pasean sobre él, sobre mil glorias sepultadas.

Por la ventana medio cerrada entra un olor a anguilas cocidas al fuego en las tabernas y en los hogares que, a medida que anochece, se hace más denso. Es el festín, digo. El festín sobre ruinas. Los despojos de las edades muertas despiertan humeantes y, en este punto, hágase justicia al profético abad, el cual, ya en 1801, *Monografía*, cap. VI, fls. 87 vs., previno contra la herencia pagana que pesa sobre Gafeira:

Encontradas que fueron dos cisternas en las casas con horno de
la familia Ribeiro, así como los lavabos y el susodicho conducto
en el patio de Silverio Portela, el cual alcanzaba treinta varas y
media de longitud, obra notable, mas se nos confirma que la
población se asienta sobre una red de canales y de represas que
sirvieron para los baños impíos de la tropa romana y para las
orgías de los adoradores de Baco a cuyos desórdenes se aco-
gían...

Sea. Interpretemos literalmente al abad. Es muy posible que en las venas de los campesinos-obreros corra una
gota perdida de la sangre de los invasores y que, como relata la *Monografía,* las mujeres «conserven, en muchos
aspectos de su cuerpo, las formas romanas, como el seno
pequeño, el labio carnoso y las piernas robustas y de to-
billo ancho». Así como también se puede admitir, ante la
alegría que reina en la aldea, que un antiguo y adormecido incienso de placer se ha levantando de las reliquias y
ciegue, y queme, el alma de los gafeirenses. Pero esta niebla (o esta humareda de anguilas, ¿quién puede distin-
guirlo?), esta niebla excita, trae felices nuevas y todos me-
recemos hoy vino y cielo despejado para mañana, según
lo previsto por el Servicio Meteorológico. Una vez en la
vida creamos en el informe y en los aristóteles que lo fa-
brican.

Un humo áspero, de grasa que cruje en el fuego, sale de
los hogares y de las callejuelas. Las anguilas, gruesas
como puños, se retuercen en los espetones, goteando sobre las brasas y provocando llamaradas. En la chimenea
del humilde, en el mostrador más tosco, rompen clarida-
des, al mismo tiempo que las nubes violentas, cargadas de
un sabor bárbaro, ruedan sobre las cabezas de los hombres y vienen hasta mí.

Bajo un poco más el cristal, y oyendo a través de él el barullo de la calle, me preparo para una noche difícil. Mientras me adormezca pensaré ciertamente en el tema: «*Toda fiesta es una demostración de poder*», y de ahí saldrá un caudal de recuerdos nocturnos: Regidor, política, cosmonautas, amor, cosas buenas. De raciocinio en raciocinio iré lejos, daré vueltas para llegar a la casa del Ingeniero conquistada por las lagartijas, que son para mí el tiempo (portugués) de la historia. Quedaré parado un momento, sólo sombra. Bajaré al valle por encima de una capa de helechos, acercándome en sueños a la laguna, con sus aguas tristes, su soledad, sus secretos... Hasta que al primer tiro de la madrugada se levanten los patos con el ala estirada en una esfera de sonido y polvareda de luz.

(Precisamente acaba de estallar un cohete, los perros reunidos en el patio se despiertan indignados.)

Entretanto los vidrios por los que miro a la calle se empañan y son como una ventana de un convoy nocturno, una ventanilla de bruma que los mensajeros de hierro y carbón cargan alegremente en su panza, de apeadero en apeadero. En esta estación, Gafeira, se presiente vida, pero cuesta distinguirla a través de los cristales, tanto es el humo. Hay música en un portal (?) y bicicletas alineadas y, alrededor, manchas imprecisas, gente, habitaciones, calles.

En las esquinas y en la puerta de las tiendas se han hecho hogueras con espetones en llamas, verdaderas banderillas de carne; en el cielo estallan cohetes que también son fuego, música y rastro blanco. La humareda crece. Sale de las rendijas de los tejados, se escapa de los niños, que merodean a su capricho, devorando pedazos de carne con pan. Es una niebla que embriaga, una niebla de anguilas y de brisas del océano. (Y que no haya un alma que cierre las ventanas de Gafeira...) En el café un ciclista da vuelta al forro de las alforjas: salen penachos de vapor de cada bolsa. Viudas de vivos pasan corriendo, humeando; las faldas y los senos humean: un calor activo se les escapa de la ingle, de la secreta boca del cuerpo, extendiéndose por el vientre y por los brazos en un temblor continuo. En las tabernas los campesinos se atropellan, buscan el vino a tientas. (Y las ventanas abiertas, y los niños tosiendo en sus cunas...) Se oyen gritos, carcajadas, música de feria. Y cohetes; los perros apenas responden, gimen.

Esos ladridos, aunque débiles y sin convicción, se prolongan por la noche. Vienen de alguna parte, de dos perros desesperados, sólo dos, que están en un claro (la plazuela, se ve en seguida), rodeados de gente y de neblina. Hay risas en el público, y los animales, un macho y una hembra, se arrastran miserablemente unidos uno al otro por el sexo, el perro arrastra a la perra, hacia atrás, ahora paran y esperan, más adelante gimen, pero cada uno vuelto hacia un lado, sin mirarse, sin sentirse unidos por el más mínimo recuerdo del amor que estuvieron viviendo. Dos extraños, dos cuerpos que se ignoran y que se encuentran atados por un nervio entumecido, sólo eso. El castigo de la carne huyó sobre ellos cuando se creían libres, y lo cumplen. Van hacia allí, atados, debatiéndose y gimiendo, pero también eso sin convicción. Los curiosos los insultan (está necesariamente el Viejo tirándoles tierra y persiguiéndolos) y ellos con el cuello estirado, ojos estúpidos, siguen impotentes en su indignidad.

Nuevo cohete, los ladridos aumentan. Se han transformado en aullidos que acaban en un rechinar de dientes interrumpido por sonidos roncos, semejantes a voces humanas. Pero son todavía los perros de la plazuela. Y esta vez están sueltos y parecen enormes. Sentados sobre sus nalgas, como leones de circo, abren sus negras bocazas, soportando las ocurrencias de un domador que es, ni más ni menos, el Viejo de la lotería. Él en persona torturando en la plaza pública a dos mastines corpulentos. Monstruos como aquellos sólo pueden ser los pastores alsacianos del Ingeniero, y lo son, no hay duda. Allí está Lord. Allí está Maruja.

El vendedor echa sus discursos a la asistencia, hace demostraciones: se dirige a las fieras y les arranca mechones de pelo.

–Aprovechen su hora de suerte –pregona, enloquecido.

Con el pelo vienen, agarradas, tiras de carne largas como el lomo, que salen vivas, saltando, y se enroscan en el brazo del Viejo.

–Anguilas, señores, aprovechen su hora de suerte –anuncia enseñándolas bien alto para que todos puedan verlas. Después sacude brutalmente esas cuerdas sangrientas que se le han enroscado en la muñeca y, brutalmente también, las arroja al suelo hechas un nudo.

Siempre que se adelanta para hacer su número, Lord y Maruja lo reciben enseñándole los dientes. Pero no pasan de la amenaza porque se dejan descarnar, anguila por anguila. Gruñen, es todo. Despellejados y mostrando el esqueleto, están en un charco de sangre y de anguilas de las que se desprende un hilo de vapor semejante al que emana de los pantanos. Y las uñas del Viejo están sobre ellos hiriéndoles a tirones.

–Su anguila, señores. Tomen su anguila.

En la niebla –ahora más densa con el vaho tibio de la sangre y con el aliento de los animales– suenan campanillas. Una banda toca el himno nacional.

Veinticuatro

El festín acabó con el himno nacional (retransmitido por la televisión del café al cierre de la emisión) y con una desbandada de campanillas.

Dlim-dlim-dlim... Eran los campesinos-obreros que se llamaban unos a otros, el amigo que estaba en la calle se dirigía al amigo que estaba en el mostrador; eran los niños, que aprovechaban la ocasión para poner la mano curiosa en las bicicletas desocupadas; era, en fin, el desfile hacia casa de decenas de ciclistas que pedaleaban en un rastro de música. Dlim-dlim, dlim-dlim...

Llevo el brasero al corredor y me meto en cama. Una despedida con banda municipal y campanillas tocadas por manos trabajadoras, un delirio de anguilas inspirado en el humo, el aroma y la temperatura de este día especial deja un amable recuerdo e invita a los cazadores a dormir. Si no me viene el sueño, tengo mis cautelas; eso si no aparecen los inevitables huéspedes retrasados que golpean la puerta a altas horas de la madrugada. Ya ahora las sábanas huelen a humo.

Con la cantimplora en la cabecera y el cuaderno de apuntes en la mano, me pongo a leer. Un largo trago, dos o tres líneas leídas superficialmente, y se me aparece entre dos páginas un criado rastreando. ¿Qué es eso?

No lo he visto nunca, pero no lo pierdo de vista y, punto por punto, al recorrer la caligrafía que es el pequeño matorral donde él va con el rabo en punta socavando, huyendo y atiesando las orejas, descubro de quién se trata en cierto pasaje:

«*Citando a Bergson* –veo escrito en el cuaderno–, *el prior Tarroso me puso como ejemplo de las virtudes del instinto a un criado que tuvo hace tiempo, y sostenía que era preferible cazar con él a pie que llevar el mejor perdiguero...*»

Sigo al hombrecito, recapitulando «*la extraordinaria percepción del peligro, la dedicación y la ingeniosidad de que dio prueba [...] y que son cualidades tanto más sólidas cuanto más elemental es el tipo de inteligencia*» y, continuando detrás del criado, me encuentro con el prior. Me detengo a recordarlo en el apunte que sigue a esta página. Viene con la escopeta amartillada y chamarra de piel de nutria, «*es un cura injertado en las novelas de Camilo. El cuarto sirve de estudio. Una bula papal enmarcada en la pared. Montones de periódicos a un lado* (Novedades, El Apostolado, El Correo de la Comarca...), *la* Historia de Portugal, *de Pinheiro Chagas, en dos volúmenes, entarimado desnudo, sin alfombras. Olor a manzanas por toda la casa. La chamarra de piel de nutria y la litografía de la Conversión de Voltaire...*»

Pobre prior que, viejo e inválido, quiso poner su nombre al lado de los Noventa y Ocho. Al lado no: debería ponerlo delante porque tiene las experiencias de los tiradores que se corrigieron compensando los defectos de la edad. Delante, repito, y en sitio de honor. Incluso en la silla de tullido está con los Noventa y Ocho, soñando tal vez

en alguno de los milagros que sueñan los cazadores que
nunca desisten. Y ese coraje lo disculpa de su famosa teoría sobre el instinto de los criados perdigueros y otras.
Para mí es más que suficiente. Lo absuelvo. No está sus-
crito al *Match,* como el padre Novo, no lee a Teilhard de
Chardin y no tendrá una fe tan exigente. Sin embargo, es
un generoso cazador.

Otro trago de la cantimplora y más lectura. No está mal.

Esta página tiene un título: *Relación,* y por el aspecto
creo que la copié de unos papeles guardados en *el Tratado
de las Aves,* que perteneció a Tomás, el noveno, abuelo de
Tomás Manuel. Encontré muchos repartidos por el libro:
borradores de escritos, adivinanzas en verso, recetas de
ungüentos, presupuestos, gastos, todo apuntado con tinta borrosa por una pluma de labrador, no acostumbrado
y áspero como una rueda de espuelas deletreando.

Hoy, día de la feria de agosto de 1861, contraté
    para servirme un año a Santiago, hijo de María
    Cannaças, que ganará lo siguiente: 20 alquei-
    res de trigo de 14$400 reis. Hoy ha recibido,
    25 de agosto para unos pantalones............ $900
Ídem, el 17 del mismo mes, para cigarros y un
    alqueire de cal $300
Ídem, el 20 del mismo mes para tabaco y bar-
    bero $180
Ídem, el 21 del mismo mes, para unas suelas y un
    pañuelo de mujer ....   1$100
Ídem, el 22 del mismo mes, para tabaco y una
    vara de paño $80
Ídem, el día 24 recibió dos alqueires de trigo ... $140
También esa fecha recibió el sueldo de su herma-
    no Joaquín....................................... $400

(Al margen una nota mía: Administración paternalista, vestuario, diversiones, alimentación, suministrado diariamente como método de control de la independencia.)

Me recuerda al Ingeniero pontificando: «Vino medido, brida corta y porrazo en la grupa». Con tres reglas tan elementales hace él de un obrero destrozado el Domingo que conocí.

(Aquí un paréntesis:

Domingo, antes de ser perro de tres patas y de acabar como sabemos, fue hombre, ingenioso y preciso. Lo vi tratar el coche del Ingeniero, la cara flaca y la nariz sensible regían la precisión de los movimientos, mientras la mano actuaba con soltura, como si pensase.

–Abre la boca –dijo acercándose al Jaguar para abrir la capota. Y, como no le obedeció, no hizo fuerza. Estiró un pedazo de alambre, lo metió en la cerradura para abrirla, pero no consiguió nada. Había allí, decidió, una dificultad que era necesario solucionar, y los Jaguars estaban llenos de caprichos. Como ningún otro.

Retrocedió unos pasos, tal vez para mirarlo mejor y ver la manera de convencerlo. Los faros del Jaguar se alojaban, rasgados y fríos, en un hocico chato y feroz, hocico de tiburón.

–Le dio calambre –suspiró moviendo la cabeza y sin dejar de observarlo. Después, levantando la voz y dirigiéndose al Ingeniero–: Necesita un muelle nuevo.

Volvió al coche. Se puso a palpar el dorso metálico con su única mano, recorriéndolo desde las branquias de los ventiladores hasta la línea de la boca de la capota, buscando el lugar exacto de la herida, del defecto o del esguince que impedía la articulación. Presionaba suavemente con el muñón del brazo al tiempo que con un estilete de alambre intentaba soltar la cerradura; y, como no lo conseguía, volvía a deslizar con delicadeza, como si la mano, a juzgar por los movimientos con que reaccionaba, fuese un oído astuto sondeando una piel dura y esmaltada. «Vamos...», murmuraba. Daba la impresión de estar aconsejando, de querer poner fin a una terquedad sin sentido.

Tomás Manuel me tocó el brazo:

–Mira... [Y entonces escuché aquel comentario que consideraba la precisión como una forma depurada del instinto, un sexto sentido o cosa parecida.]

La mano escrutadora seguía explorando. Desde la galería yo, el Ingeniero y María de las Mercedes acompañábamos sus avances, sus rodeos, sus dudas, para llegar al cartílago, el nudo, o el nervio decisivo. Las maxilas se relajaron, la boca del gran escualo se abrió a la luz del día, dejando ver un vientre de tubos, tráqueas y tendones de acero en los que se metió el mestizo. «Jonás y su mundo privado», pensé.

Domingo miró el distribuidor, llegó hasta el cerebro de delicados filamentos, desconectó las bujías. Pero entonces el Jaguar le respondió con una chispa.

Saltó inmediatamente:

–Qué, ¿muerdes? –Y nos sonrió a los de arriba.

Sabía hablar con las cosas y con los animales, era su habilidad. Con la voz cantada de criollo envolvía el muñón del brazo, transportando ese gancho, esa palanca amaestrada. Tenía buena dentadura, cabal y muy blanca, y aprendió a servirse de ella para aguantar una punta de alambre, para romper o dar forma, y para eso era sólida como las mandíbulas de unos alicates o como si fuese una llave de marfil. Los dientes y las piernas le ayudaban mucho. Las rodillas también, tenían la fuerza de un torno cuando apretaban cualquier pieza.

Domingo acabó de cerrar la capota y daba una vuelta de prueba por el patio. Conducía como los chóferes presumidos que ponen los cambios con las piernas. Sólo que, para él, era la única manera de conducir, y ya hacía mucho. Nunca se podría comparar con los chóferes que pretenden impresionar al cliente con los cambios a patadas. De ninguna manera. «Conduce bastante bien», añadía, dirigiéndose a mí, Tomás Manuel.

–Se las arregla, pero no le gusta mucho.

–Así parece –dijo María de las Mercedes–. Tú le obligas a tener cada susto...

Estaba de pie, apoyada en una de las macetas de la galería. Llevaba un sobretodo que le llegaba a las rodillas y los zapatos eran de gamuza suave del color de los pantalones. A veces apretaba con los dientes la cadenilla de oro que llevaba al cuello y la mordisqueaba o la estiraba tanto que se quedaba con los labios rasgados y tensos. Así estaba ella en aquel momento.

–El médico le mandó observar dieta –continuó diciendo el Ingeniero entretenido con las pruebas del criado–, pero de nada le sirve. Hay alguna deficiencia en la presión. Cuando entra en un coche empieza a hacer tonterías.

–Tal vez nerviosismo.

–Corazón. Tiene un corazón de pajarito.

María de las Mercedes se colgó del brazo de su marido:

–Tomás, amor mío, ¿por qué no dices mejor que el muchacho tiene miedo? ¿Es algo malo tener miedo? Yo lo tengo y sabe que cuando tú conduces no hay quien no lo tenga.

–Habla. Si no fuese por el corazón verías como él metía el pie a fondo.

María de las Mercedes, dirigiéndose a mí:

–¿Qué se le va a hacer? Para este hombre Domingo es intocable.

–¿Te parece? –preguntó Tomás Manuel–. Mira, patos.

Encima de nosotros volaba una pareja de tadornos, la hembra con plumaje oscuro, el macho de alas vistosas y con las dos guías azules de la cola relucientes. Se elevaron de los tamariscos lentamente y en vertical, como suelen levantarse, y después tomaron velocidad. Al poco rato volaban por el valle, batiendo una zona escogida.

–Están en celo, patrón Ingeniero –gritó desde abajo Domingo. Había salido del coche para observar las aves.

En el cielo rojo del atardecer los patos rayaban las nubes tranquilamente. Venían probablemente del océano, de las orillas saladas donde habían pasado el día, y regresaban al interior para escoger sitio donde pernoctar.

Con los brazos caídos y el cuello al aire, el mestizo estaba fascinado por los dos navegantes tan prevenidos como son los patos reales en esta fase del amor y tan arrogantes en su plumaje nupcial. La hembra estaría preparando el nido, pensó, y tiene al macho atrás reconociendo el terreno.

–Maniobras de otoño –comenté. Apenas pronuncié estas palabras sonó un disparo. Después otro, los dos en la orilla de allá.

Una de las aves se paró un instante en el cielo. Después dobló el cuello y cayó como una flecha saludada por todos los perros de la laguna.

–Estupendo disparo, ¿quién sería?

A juzgar por la caída, el pato fue herido en la cabeza. O en los ojos.)

He cerrado el paréntesis acerca de Domingo. Dios hizo al obrero y lo castigó en seguida quitándole el brazo; y el In-

geniero tomó el brazo despreciado, lo moldeó a su manera e hizo al hombre. ¡Qué arrogancia!, «hacer al hombre».

Y así Domingo fue renaciendo de la miseria de su cuerpo, como diría un narrador patriarcal; y el cuerpo se hizo
sabio y hábil, ganando en destreza, utilidad, lugar huma-
no; y, para intranquilidad de María de las Mercedes, se
fue ajustando a la sombra de su amo, absorbiéndola como
el agua que brota de las rocas se encamina hacia la mano
que la encontró. A su vez la esposa estéril (la que moriría
ignorando si estaba de hecho en ella la maldición de la esterilidad) sentía crecer el vacío a su alrededor a medida
que el criado se hacía hombre y que la mano libre con-
quistaba triunfos para la gloria de Tomás Manuel. No ol-
videmos: «Domingo, el intocable», así lo llamó ella esta
tarde cuando mordía la cadenilla de oro. Aunque sin rencor, aunque desinteresada, la mordía.

Y, lo que son las cosas, santa hospedera. Entre la dama
y el criado siempre hay una carta escondida que decide la
partida. Sucede. Cualquier jugador de brisca lo sabe. Pero
esto no está en el cuaderno.

Veinticinco

En el cuaderno hay otras cosas, un comentario, una cita, refranes locales, dibujos (imagínense), recuerdos que aparecen con la famosa indicación de «idea para desarrollar». Pero más allá del cuaderno y de los signos abreviados que contiene, veo a los demás, un hombre que escribe. Lo distingo perfectamente, inclinado, como yo, sobre una hoja de papel, pero más lento (si es posible) o lento por razones diferentes, y también con la pluma en ristre. Sé que está haciendo números con aplicación; rectas, curvas y señales varias, ejercicios de caligrafía. Con la misma mano deja la pluma para coger el cigarrillo, con la misma mano deja el cigarrillo en el cenicero para tomar la pluma; y esta mano es la izquierda. Domingo, el mestizo, está haciendo el aprendizaje de los mutilados.

Por orden del Ingeniero tiene que presentarse a María de las Mercedes con el trabajo del día y averiguar de ella sus progresos. Así fue determinado y así se cumple para que se respeten los mandamientos de hacer el hombre, los cuales fueron dictados por la experiencia de los antiguos y son tres, a saber: vino medido, brida corta y azote en la grupa.

Domingo sube, pues, a la sala del primer piso y a veces corrige allí mismo las tareas delante de la señora de la laguna. Hoy un dictado, mañana números, al día siguiente circunferencias, y con esto la mano se va amoldando, se vuelve más expedita. De pie, María de las Mercedes se inclina por detrás de él: «Despacio, no aprietes tanto...» Y el hombre obedece y poco tiempo después le toma un gusto a la escritura que asombra. «¡Formidable!», dice la patrona, casi olvidada de que está moldeando una sombra del marido. Y para terminar la lección le señala tantas copas, tantas líneas de números, un dibujo a tinta, figuras recortadas con tijeras. El criado da las gracias y va al patio a esperar el Jaguar.

En la sala todo queda en silencio. En un rincón el televisor va desenvolviendo figuras sin sonido, figuras que se mueven como dentro de un acuario; curas en procesión avanzando hacia nosotros con la boca abierta, militares dando órdenes... políticos al micrófono... curas, militares, políticos. La leña del hogar se deshace en llamas blandas porque esta noche, llena de niebla, el aire de fuera no entra por la chimenea. María de las Mercedes se sienta en el suelo, de cara a las llamas, abraza sus piernas por las rodillas dejando caer lentamente el rostro. Ve y no ve la línea de humo que se derrama sobre los pinos y las encinas; mira y olvida. «¡Qué tiempo!», piensa. Qué noche se va a poner con la niebla trepando por las dunas y llenando el valle.

Le pareció oír el teléfono: levanta la mirada y espera. Pero ya está acostumbrada a aquel falso ruido, es una llamada de tantas que suenan dentro de ella cuando se encuentra sola, y por eso vuelve a doblarse sobre sí misma apretando la barbilla sobre las rodillas. Distraídamente mueve el cuerpo hacia la izquierda y hacia la derecha con

un compás fijo, tranquilo. Se mece y el sosiego va penetrando, penetrando. Realmente, qué noche. Y qué niebla.
Qué humo viene de la leña (allí no ciega el incienso salva-
je de las anguilas) y cómo pesa en la cabeza el calor de la
encina.

Toma una aspirina. Le gusta, para variar, el sabor del
comprimido sin agua, sentir el deshacerse en la saliva, absorbiéndola y secándole la lengua hasta ponerla de una
aspereza sensible. El gusto blando, cal y limones, la penetra lentamente y deja, primero el ardor, la exaltación de
los poros y de las glándulas, después el gusto tibio del al-
midón que, cuando está concentrado, recuerda al pan sin
fermentar, al semen, al rastro que queda sobre una cama
de largas horas de amor. El comprimido se disuelve, María de las Mercedes abre un número de *Jours de France* y,
con un lápiz en la mano, empieza a llenar un test. *Test-
Horoscope, Test-Jeunesse,* uno de éstos. Sin darse cuenta
se encuentra dibujando bigotes y gafas en las fotografías
de los modelos de Jean Patou.

La sala huele a humo, toda la casa huele a humo, también ella (y mis sábanas), y la causa es la niebla que viene
de fuera, invadiendo los montes, tapando la chimenea del
hogar.

Se decide a abrir la ventana, pero con la mano todavía
en el molinete, se detiene. Se encuentra frente a frente con
otra María de las Mercedes de cuerpo entero. Contempla
a esa mujer que llena el espejo negro de arriba abajo, casi
le pregunta.

«Hola», dice en voz alta. «Hola», le digo yo desde aquí.
Y ella se despereza. Contrae los brazos y levanta los puños a la altura de los hombros, por momentos se siente
más viva y más libre. Se queda como está, con los senos
erguidos, los codos hacia atrás. Insiste, nueva presión del

pecho al abrirse, un pequeño ruido de las articulaciones, otra vez levanta la cabeza. El mentón está hacia atrás, más redondo. En seguida baja la mano, la deja resbalar sobre el cuello, tocando la piel, los músculos, después sigue la línea de los senos, vaga por las caderas y por el vientre, que es discreto, apenas lo necesario.

Tiene la osamenta sólida de las mujeres tipo Sagitario (cf. *Elle, Horoscope,* Profesor Trintzius...), signo variable que predispone al reposo y al aire libre. Pero la presencia benéfica de Júpiter no le quita ciertas señales indiscutibles de Marte (seguramente por haber nacido muy próxima a Escorpión), lo que a menudo da felices combinaciones. Senos duros en un tronco tranquilo, nariz perfilada y audaz en un rostro contemplativo, son las posiciones características de las mujeres de este signo de fuego que gobierna sobre todo la región de las caderas, y María de las Mercedes no es una excepción a la regla. Palpa el vientre, las piernas, se detiene en el pliegue del pantalón, allí donde se delimita un rebelde arenal que se eleva gentilmente cubierto y un tanto áspero al tacto; y de este pequeño promontorio, rosa negra, duna erizada, salen dos ríos hermanos, que son las piernas, en libre y consciente armonía. Estas astas, lo demuestran los cristales, tienen el deslizar contenido de la luz otoñal; siendo firmes y bien definidas envuelven e iluminan, y son amables; sin embargo no exuberantes. Las clasifico sin retórica, acordándome del artículo de fondo que leí en el periódico durante la cena.

María de las Mercedes compara los dos rostros. Se pone de puntillas, mira por encima del hombro y sorprende el horizonte dorsal. Aprieta la cintura, la envuelve. En seguida empieza a levantar una pierna estirándola como hacen las bailarinas, la levanta más, más y más, pero pierde el equilibrio y cae sobre el sofá que está al lado de la mesita de los cigarrillos. Cae y queda así. Mirando, mirando. En el televisor-acuario relampaguean imágenes en blanco y negro; se suceden en un rodar continuo, vienen y van o se plasman en el vidrio arqueado enfrentando el objetivo y abriendo y cerrando la boca. Estúpido mundo cuando habla sin voz.

El reloj de porcelana trabaja, o no; es imposible oírlo ahogado por la redoma de cristal, y si funciona pierde el tiempo, nadie se fija en él. Un mochuelo silba en la arboleda. Son detestables los mochuelos, detestables sepultureros de la noche. ¿No es verdad?

Al alargar el brazo para coger los cigarrillos y la boquilla, María de las Mercedes se estira cuan larga es. No se mueve durante un buen rato, es capaz de quedarse así una eternidad. Acostada y con las piernas colgando del brazo del sofá, está vuelta hacia las vigas del techo donde se refleja el brillo del hogar. Son gruesas y barnizadas, hechas de patriarcales troncos de encina y adornadas con clavos de hierro. ¡Qué peso no aguantarán las paredes, y qué confianza saberse cubiertas de troncos tan autoritarios!... María de las Mercedes dirige el cigarrillo hacia ellas, muerde la boquilla. Las manos descansan sobre el pliegue del pantalón.

En aquella posición acabará por tener los pies dormidos, tanto más cuanto que en los últimos meses rara fue la noche que no se despertara asustada, incapaz de moverse. Mala circulación, ya se sabe, falta de ejercicio, pero es horroroso que una persona se sienta así paralizada, como un cadáver vivo. «*Ça va*», dice en voz baja; y empieza a silbar entre dientes cuando se oye de nuevo al mochuelo. Se calla. Algún pájaro o algún ratón infeliz está en peligro, torturados por aquel sepulturero nocturno. Porque, en verdad, el mochuelo no tiene derecho a otro nombre. Sólo le gustan las tinieblas y los agujeros, y mira a los seres vivos con una frialdad impresionante. Sepulturero, así. ¿Habrá algún sepulturero que no mire fríamente todas las cosas?

Enciende otro cigarrillo y, poniéndose el sobretodo, se dirige a la galería. Ella encima, el criado en el patio, ambos han oído al pájaro de mal agüero y ambos esperan ahora al mismo hombre. Escuchan el valle, los ruidos que trae el viento. Pero Lord y Maruja, tan sagaces y tan atentos a las señales que anuncian al dueño, no se mueven.

Entretanto me acerco, con el cuaderno en la mano. Atravieso proverbios pintorescos, tropiezo con memorias y curiosidades de mi paso por Gafeira, y no distingo bien a la mujer que fuma y espera. Tengo que desenterrar de estas ruinas de prosa los garabatos que escribí hace un año, y no sé si también de otras, de las cisternas que yacen a sesenta palmos debajo de la cama donde me acuesto y en la que, también yo, consumo mi cigarrillo de insomnio.

María de las Mercedes es un contorno interrumpido que veo entre las líneas de mis apuntes, un rostro oscuro que muere y resucita cada vez que sorbe el cigarrillo. Atravieso el velo de neblina con la brasa de mi cigarro, la veo al otro lado, de pie, frente al valle y, en el patio, Domingo, a quien ella matará un día (con crimen o sin crimen, es lo de menos) después de haberlo ayudado a renacer. «Ven acá, Domingo. Acuéstate ahí», murmura: lleno de odio el Batidor; pero no se atreve a tocarlo, ¡ay de él! Sólo lo toca el Ingeniero y, para que no haya duda, la sentencia está labrada en la página de mi cuaderno: «El que

trata mal a mis criados es porque no puede tratarme mal
a mí»*.

Principios son principios, y mucho más si los afirma un
Palma Bravo. Simplemente –y aquí es donde el diablo metió la mano– alguien olvidó esta realidad. Alguien, que el
padre Novo designó esta noche como «un emigrante de
vacaciones», miró con malos ojos al mestizo y, al insultar-
lo, quebrantó la ley de familia. ¿Por qué aquella aversión?
Probablemente, deduzco, porque a la hora a la que Domingo bajaba a la aldea para esperar al Ingeniero, el hombre ya
estaba lleno de cerveza y, cansado de no hacer nada, venía a
la puerta del café para entretenerse desafiándolo. Probablemente también, porque, como interpretaba el dueño del
establecimiento, el emigrante trabajaba en América, y en
América, según lo que el comerciante había leído y oído, la
gente de color no tiene ni siquiera el derecho a la sombra
del cuerpo. De ahí el odio por el mestizo.

María de las Mercedes, desde lo alto de la galería, no
quiso saber nada de explicaciones. Cortó el mal de raíz.

–De ahora en adelante, Domingo, no irás a esperar al
señor Ingeniero.

El criado bajó la cabeza. Orgulloso, le había llamado el
padre Novo, y no exageraba. Pero el que no siente no es de
buena calaña, diría Tomás Manuel, dictándome otra regla para este cuaderno; y, por última vez, todo aquel que
ofendiese a la casa tendría que pagar el atrevimiento,
como, por lo demás, ya se deducía de mis abundantes notas del año pasado.

Resentido, Domingo vino al patio y así continuaba
siendo la persona que recibía al Ingeniero. Una tarde, es-

---

* Seguida de la variante popular: «Quien no puede con el patrón, se venga en el perro».

taba él en el portal, la señora en la galería, llega el Jaguar a toda velocidad y sale de él Tomás Manuel con los puños en alto.

–¡Capado! Dejarte pegar por un vagabundo de ésos.

Venía de ajustar cuentas con el emigrante, ahora le tocaba al criado. Lo agarró por el cuello, atravesó con él la luz de los faros, le abofeteó, le escupió insultos sobre insultos. Las palabras le aumentaban la ira y, espumeando de rabia, le dio un golpe en la mandíbula.

–Déjenlo –grita, cortando el camino a Aniñas y al mozo de labranza, que corrieron en socorro de Domingo.

El infeliz rueda, atontado. Levanta el muñón del brazo para taparse la cara, anda bamboleándose. Después se le dobla una pierna, se le dobla la otra, y cae en el enlosado. Ciego, Tomás Manuel corre al patio, tira por el suelo lo que encuentra por el camino, resopla como un condenado. Por fin coge un trozo de horquilla; se dirige al montón de miseria que estaba en el suelo y lo encajona entre las puntas.

–Defiéndete, capado de paja. Defiéndete o acabo contigo aquí mismo.

Arrodillado, con la cara ensangrentada oscilando a la luz de los focos, el otro intenta levantarse. La vieja y el mozo tiemblan de miedo, la nueva criada se escapa llorando. Cogiendo el bastón y apoyándose en él desesperadamente, Domingo empieza a levantarse. Pero los dedos le resbalan, las piernas le fallan; están huecas, blandas, y el hombre, en un último esfuerzo, se desmorona sobre las piedras.

El Ingeniero cierra los ojos.

–Por el amor de Dios, defiéndete.

Era una voz trémula, una súplica lanzada con los dientes cerrados.

Nada. Domingo no se mueve. Echado en el suelo, mira a lo lejos con ojos tristes y serenos.

Desde lo alto de la escalera, María de las Mercedes lo ha presenciado todo en silencio. Ella, extrañamente serena y silenciosa, el marido allá abajo con el cuerpo del criado a los pies. Lo ve pálido, aniquilado por la luz de los faroles y con los brazos estirados, y sabe que está esperando un movimiento, la menor señal de Domingo, para descargar su furia. Pasa un minuto, pasan dos y el mestizo no se mueve.

Entonces, arrogante, Tomás Manuel da media vuelta, se lleva las manos a la cara brutalmente y desaparece. Huye, casi huye, escaleras arriba, loco por librarse de aquel harapo asqueroso. Cuando atraviesa el rellano, María de las Mercedes se retira discretamente para darle paso. No lo toca, no le dice nada. Parada en medio de la puerta, lo deja solo en la sala, jadeando sobre un sofá. Después de un rato va al cuarto a buscar las zapatillas y se las pone. Le trae la pipa y le sirve un whisky. Se sienta a su lado. Más tarde, pasado un buen rato, empieza a atraerlo hacia sí, acariciándole las manos, el cabello, el rostro frío y hosco.

–Amor pequeño –le susurra, apretándolo fuertemente contra el seno–. Querido, mi pequeño gran amor...

Como si cantase, como si cantase.

Veintiséis *a*

C ontinúo hojeando mis apuntes:

Levanta-culo = somormujo.

Paseo en barca por la laguna. La oratoria de las especies o *Del Sagaz Ejemplo de la Madre Naturaleza.*

Opinión del Ingeniero: 50 % de la inteligencia de los mestizos es ingenuidad de los negros, el otro 50 % son mañas aprendidas del colono. Solución adecuada: promover al negro sin proletarizarlo, instruir al mestizo sin intelectualizarlo.

Le respondí que ya había leído esta receta en alguna parte...

–...Y cambiemos de conversación –digo desahogándome con la cantimplora.

Y la voz del Ingeniero:

–¿Por qué? ¿Te molesta? ¿Te parece que es una obligación intelectualizar a todo el mundo?

Yo:

–Rema, amigo. Y bebe, que para eso sí que tienes habilidad. –Caigo en seguida en la cuenta–. No hagas caso, es el insomnio.

Él:

–¿Insomnio a estas horas de la tarde?

–Tienes razón, no hagas caso...

Vamos hacia poniente, «en un paseo en barca por la laguna donde se desarrollará la oratoria de las especies» y atravesamos a lo ancho aprovechando la brisa que viene del océano. Lentamente rodeamos los islotes más distantes. Luego, cabeceando sobre los juncos, regresamos a la otra orilla.

–Bebe –voy a ofrecerle cuando me doy cuenta de que nunca llevo la cantimplora fuera del tiempo de cacería. Aunque, si la hubiese traído, tampoco serviría de gran cosa. Por lo que he bebido esta noche creo que no llegaría ni para un trago cada uno–. Ingeniero, si tienes sed no hay más remedio que volver a casa.

–Si es que tengo sed –dice él–. Pero la culpa es tuya. Eras tú el que tenía que acordarse de la bebida.

Encontramos, lo recuerdo perfectamente, las islas infestadas de cartuchos vacíos que había arrastrado la corriente, cápsulas de varios colores y calibres sembradas entre la hierba, y, encallado en una orilla, el cadáver de un ánade. Tomás Manuel admiraba a los patos reales que son valientes, diabólicamente audaces en sus sangrientos duelos. Nada más natural por tanto que hablar de ellos.

–Un guerrero, ¿lo ves? –Con la punta del remo toca el esqueleto emplumado que yace endurecido y con las patas descarnadas–. ¿Por qué será que los guerreros tienen un aspecto inocente después de muertos?

–Algunos. Los que yo conozco no tienen ese aspecto –respondo–. Pero no soy de fiar, sólo los he visto en los túmulos y en los monumentos. Todos estaban haciendo una pose para la posteridad.

El Ingeniero remueve el cadáver, observa las cuencas de los ojos, el pico ennegrecido. Las aguas lo habían dejado en medio de excrementos y cáscaras de huevos de la última cría, o tal vez él mismo, ave guerrera, en un desesperado aleteo, buscó un refugio allí. No tenía ningún aspecto de inocencia. Absolutamente ninguno.

Bordeamos el islote por levante. Tomás Manuel gobierna la barca hincando el remo en las rodillas, alejándola o acercándola. Mientras tanto unos somormujos brincan en un trozo de tierra pelada. Dan vueltas por la zona donde piensan pasar la noche, fingen ignorarnos pero cautelosamente empiezan a apartarse con paso rápido, haciendo carrerillas. En su desconfianza, simulan una cierta compostura que pierden apenas el primero levanta vuelo, y entonces es una barahúnda esa desbandada de alas despavoridas. Sobre todo después del desdén y dignidad con que los somormujos se habían paseado.

Tomás Manuel les dispara desde abajo una carcajada.

–¡Ay, levanta-culos!

Reímos juntos. ¡Qué nombre, levanta-culo!

–No hay bicho más afeminado que éste –dice el Ingeniero.

Doblamos la punta del islote y entramos de lleno en la laguna, en la parte en que las aguas son más brillantes y se erizan con la brisa. Mi compañero sabía que los somormujos no tardarían en volver al erial que habían abandonado, pero no se preocupó en verificarlo. Refunfuña solo, de espaldas a ellos.

–Afeminados. Hasta los huevos incuban con las hembras.

Levanta-culo, si no me falla la memoria, era el apodo de un inspector de aguas que él me presentó (¿antes o después de este paseo?), un boyero que nunca soltaba la varita con la que encontraba vetas de agua y de metal. ¿También era afeminado el inspector? ¿Por qué llamarlo levanta-culo? ¿Sería por andar siempre con el rabo levantado buscando agua y minerales?

–La gente tiene un talento fantástico para los apodos –va diciendo Tomás Manuel–. ¿Y qué me dices de los nombres de pájaros que ayudan para eso? Urraca, por ejemplo. ¿Es o no el retrato exacto de una puta?

–Está en los diccionarios: Urraca: *lo mismo que charlatana, mujer de libres costumbres.*

–¿Estás seguro?

–Segurísimo.

–¿Y levanta-culo? –pregunta de nuevo.

–Levanta-culo no sé si está. Es posible que *Moraes* se haya acordado de él. Levanta-culo: *lo mismo que afeminado...* Habría que consultar.

Ahora me alegro de no tener cara de erudito y de no hacer nunca hincapié en las discusiones de diccionario. Las palabras las trae el tiempo y el tiempo las mata, y de pájaros no entiendo mucho. Por eso admiro a Curioso, que escribió el *Tratado de las Aves.* Todo cuanto puedo añadir está en una transcripción de mi cuaderno que, concretamente, habla de la codorniz.

–Ingeniero, ¿tú eres capaz de imaginar hasta dónde llega la astucia de la codorniz?

–Menuda fulana esta, déjala. Entre la codorniz y el levanta-culo, que escoja el diablo.

Las codornices son respecto a los perros –leo en los apuntes que tengo bajo los ojos– como el militar frente al enemigo. En campo abierto verás que ellas cansan al perseguidor sin intentar largos vuelos, sólo aceleran el paso. Son tan astutas que se paran al pie de las colmenas para atraer a los perros que serán ahuyentados por las abejas, y siempre que hay ganado cerca se posan en medio, o cerca de la gente desarmada porque saben que en un sitio así no les puede apuntar el cazador. Y en campo abierto se desvían con alegría y prudencia, pasando intencionadamente por los claros sin paja y expuestos todo el día al sol porque en esos sitios los perros pierden el olfato, y de esta manera cambian de dirección y borran pistas (... sin embargo) como es un pájaro muy apasionado corre ciegamente hacia la hembra y de eso se sirve el cazador menos honrado, que gracias a alguna trampa o reclamo, imita el trino del amor que es una especie de silbido como un kikirikí continuo y al que acuden muy excitados los machos, ignorando la muerte que les espera...

Interrumpo la apasionante y rigurosa biografía de la codorniz que copié del *Tratado de las Aves / compuesto por / Un Curioso*.

«Codorniz. *Coturnix communis Bonn...* (La trato con el nombre oficial, siguiendo el texto. Le concedo este honor porque yo, Ingeniero, considero que es uno de los personajes más fascinantes del librito.)

–Buena pieza, no hay duda. ¿Crees que hay una mujer fatal más completa que la codorniz?

–Y la más imaginativa, por favor. No perderías nada leyendo el *Tratado*.

Tomás Manuel rema con más ímpetu.

–Imaginación y bellaquería hacen buena pareja –recalca–. Una cosa no quita la otra.

Y así compara la codorniz a una Mata-Hari de medio palmo, hábil en la retirada. Es un agrónomo que explica al hombre en términos de Historia Natural y yo todavía le sigo la corriente. De la codorniz pasa al gavilán, y en tres remaduras llega a esa ave de rapiña que hiere a las zancudas con el pico montándose encima de ellas en pleno vuelo... y entretanto nos vamos acercando a la orilla. Y yo escuchándole.

En el ribazo de enfrente la casa nos vigila con tres macetas en la fachada, rodeada de valentía y de arboleda. Al

ponerse el sol queda enmarcada por un follaje de estaño
que le da un aspecto más solitario. Parece un mausoleo
extraviado y las macetas los adornos innecesarios, la fantasía inexplicable que se ve en los sepulcros monumenta-
les. Tiene un aspecto siniestro, eso sí. Nos deslizamos suavemente, mientras oscurece la tarde y centenares de aves
ocultas recogen conchas y raíces de juncia en los charcos.
Costeando la orilla pasamos por un escondite con las ramas destrozadas y vemos una botella vacía en el fondo; en
la superficie del agua despuntan arbustos, brotes que se
balancean, y en algunos hay plumas colgadas.

Tomás Manuel extiende un remo sacudiendo la vegetación a lo largo del recorrido con la esperanza de encontrar
alguna zancuda herida. Hace esto porque sí, por rutina, ya
que las zancudas, cuando están en tierra, esconden la cabeza si se sienten cansadas o enfermas, y con eso, pobres
diablos, se creen a salvo. Si hubiese patos sí que daría resultado agitar las cañas. Pero ¿zancudas? Tan infelices,
válgales su santa estupidez. Y, con esta vuelta, aborda-
mos el muelle de desembarque en una maraña de tamariscos.

–¡Arriba los remos! –ordena el Ingeniero.

Desde tierra me da la mano y me sube a la orilla.

–Ahora vendrá bien un whisky. ¿No sientes frío?
–Ahueca las manos alrededor de la boca y grita con toda
su fuerza en dirección a la casa–. Whiiisky...

–No te oyen –le digo.

–Que se fastidie –Aprieta el paso–. Whiiisky...
Whiiisky...

A campo traviesa, entre helechos y arbustos, llegamos
al patio de la casa, acompañados de los dos perros que
habían salido a nuestro encuentro. María de las Mercedes
estaba en la galería.

–Whisky para los náufragos –brama el marido desde abajo.

Y estaba ya en la sala esperándonos; un líquido ponderado, oro moreno. Tan sutil en sus gradaciones como el declinar del sol al fin de la tarde.

–Ah –dice el Ingeniero–, saboreando el primer sorbo.

–Parecíais dos muchachos jugando a la isla del tesoro –dice María de las Mercedes.

Se sienta delante de nosotros pero no bebe. Nunca bebía. El marido sonríe:

–Hemos encontrado un pato.

–Muerto –aclaro yo–. Pero era un guerrero.

–Con espuelas y todo. Y armadura, ¿te acuerdas?

–Le hicisteis el funeral, ¿no? –María de las Mercedes también sonríe. Nos observa, con las piernas cruzadas y con un pie balanceándose–. ¿No queréis acercaros al hogar? Debéis de estar helados.

–Ahora el hogar –Tomás Manuel se dirige a mí–. ¿Conoces la anécdota del viejo que hacía el amor en la chimenea?

–¡Tomás! –le reprende la mujer.

–¿Qué pasa? ¿No te gusta?

–Es una porquería, Tomás. –María de las Mercedes se vuelve hacia mí–. No la escuche. Es horrorosa.

–No me digas que no te gustan las anécdotas horrorosas.

–A esta hora, no.

–Las mujeres son tan imposibles, tan imposibles que hasta tienen hora para las anécdotas. Pero aguántate, esta vez no te perdono.

–No quiero.

Y María de las Mercedes huye hacia el fondo de la sala, tapándose las orejas.

Cuando acaba de contar la anécdota, hace desde allí una mueca.

–Indecente.

–¡Ah, ah! ¿Ves como le gustan las anécdotas sucias? –Tomás Manuel corre a abrazarla–. Las anécdotas y el teléfono son los *hobbies* de mi mujercita. ¿Es o no verdad?

–No seas malo –le ruega en voz baja, apartando las manos que la envuelven–. Déjame en paz, ¿quieres?

–Lo que yo dejo es lechecilla.

Al Ingeniero siempre le gustaba decir palabrotas para ensayarse y para estar a sus anchas delante de las personas. Decía palabras cada vez peores hasta que la mujer se levantara, como lo hizo ahora, y pusiese punto final a la conversación.

–Tú eres pesado, Tomás. –Atraviesa la sala, pero en la puerta le saca la lengua–. Pesadísimo.

–¡Ay, ay! –bosteza el Ingeniero, volviendo al sofá–. ¿Y cuáles son tus *hobbies?* ¿Política? ¿Reírte del prójimo? Hablas poco, vaya. –Abre una caja de puros–. ¿Un puro?

Se lo agradezco sin aceptar. Los puros («puro», una palabra que me trae olor a labradores en Sevilla, calle Sierpes, corridas de toros y sangrías en jarra), los puros me cansan (aquí una obscenidad para dar más fuerza). Igual que un insomnio. Como las expresiones y los principios que tengo escritos en el cuaderno y que a medida que los voy leyendo me parecen más semejantes unos a otros, casi repetidos de Palma Bravo a Palma Bravo, de generación en generación. Con todo tal vez algún día sirvan al que pretenda describir la especie *homo delphinus* con la respectiva corte animal que lo ilustra: perros, mujeres-perras, garzas-mujeres, peces santificados. De los somormujos no me atrevo a hablar. No sería correcto por parte de un invitado a la Casa de la Laguna.

–¿No quieres decir cuál es tu *hobby?* –Tomás Manuel levanta el vaso–. Pues el mío es simple. El mío –sigue di-

ciendo, mientras observa atentamente el whisky haciéndolo girar entre los dedos–, el mío es éste: conversaciones
sobre levanta-culos... cosas provincianas. –Me mira de
frente. Tiene un rasgo desafiante en los labios, muy suyo–.
Bagatelas rústicas, como dice mi amiga Pacita Soares.

(No hoy, sino con ocasión de uno de sus discursos ala-
bando la sabiduría con que la Madre Naturaleza da lecciones a los vanidosos ilustrados, a los teóricos y a esos
ambiciosos que tienen explicaciones difíciles, a los impíos, pues, a los impíos, en uno de esos discursos le de-
mostré que las bagatelas rústicas eran su snobismo, el de
Tomás Manuel; admitía que le servían de mucho, pero
que, con mucha pena, se portaba como un snob que yo
había aprendido de una vieja canción francesa. *«Je suis
snob, je suis snob...»*

Se encogió de hombros.

–Bueno, adiós. Si crees que me haces enfadar con esto,
te equivocas de medio a medio.)

Habíamos tenido un hermoso paseo y no valía la pena
echarlo a perder con una conversación cuyo rumbo ya
conocía desde el principio. Que siga Tomás Manuel sondeando el whisky (y a mí también) que yo no me daré por
aludido. En la televisión pasan bultos mudos, tras el vidrio panzudo, con las bocas abiertas de cara a nosotros.
Allá abajo, en la laguna, la niebla cubre los juncos donde
las aves trabajan con conchas y cáscaras sueltas, triturán-
dolas, en un corroer continuo, susurrante, igual que alrededor de esta cama de pensión los bichos de la madera están en libertad y susurran en el forro de la casa adormecida.
Oigo sus maquinaciones, estoy entre maderas: techo de
madera, puertas de madera, entarimado viejo, remenda-
do. Las tablas son dos películas milagrosas que guardan
en su interior harina de madera, serraduras trituradas

por millares de carcomas corruptoras. Y sobre esta paz
activa de vida secreta, como la de las aves que preparan su
sueño en las orillas de la laguna, una música perdida empieza a rodar dentro de mí:

> *Je suis snob*
> *et quand je serais mort*
> *je veux un sudaire de chez Dior...*

   –*T'es mort?* –pregunto con los ojos a mi anfitrión, que
está sentado en el sofá–. ¿Estás muerto por dentro, Ingeniero avicultor?

Veintiséis *b*

Sé, todos sabemos, lo que pesa el tiempo pasado sobre el que se aventura a reconstruirlo. Es un eco que subraya palabras, una ironía que nos contempla de lejos. Si alguien (un narrador de visita) recuerda a su gusto (y ve ya en el papel, y en pruebas de imprenta y tal vez un día en los juicios de la crítica) el fin de una mujer, el que todos conocen, y que está certificado en el proceso; si se agarra a un puñado de notas tomadas para distraerse, y se pone ahora a hilvanarlas y a querer descubrir una línea profética*, ese alguien necesita pudor para encontrar la idea exacta, la exacta imagen de la mujer ausente. Necesita discutir consigo mismo a medida que va recordando, y así lo hace por respeto, por su condición de hombre frente a la distancia y a la ausencia. Es, pienso ahora, un oficio arduo, contar el tiempo pasado.

* Una nota de cierta conversación con el padre Novo –la encuentro en el cuaderno como *idea para desarrollar*–, mía o suya no recuerdo: «La descripción del pasado revela un sentido profético en el comportamiento de los individuos que resulta al estudiarlos según una trayectoria histórica conocida».

Por la misma razón si, navegando en mi cama sobre un vacío de carcomas susurrantes, estoy presente cuando el Ingeniero describe a la mujer-urraca, a la mujer-codorniz o a cualquier otra y pienso en la señora de la laguna –que no entra en ninguna de estas clasificaciones– me toca estar atento a las palabras y repetirlas como un testigo que dicta al escribano, fiel a su conciencia y a su juramento. Un testigo que procura ser exacto para no manchar cobardemente el retrato que refleja, el de Tomás Manuel. Y que todo esté conforme, y que en interés de la verdad se lea y se firme en Gafeira, a tantos del mes tal, en viaje con el Ingeniero por las aguas de la laguna.

Ahora bien, en aquel paseo, mientras el sol bajaba velozmente y las aves escarbaban entre los juncos, se habló de Pacita Soares, se habló de la codorniz, se habló, en resumidas cuentas, de los ejemplos más elegantes de la Creación. Faltó uno, el más clásico, el «gloria a Dios»*. En Roma sé romano, en Gafeira sé más prevenido con las mujeres que San Pablo. Si fuese el apóstol iría siempre con un «gloria a Dios» entre las cartas para ponerlo como ejemplo.

–Tomás, otro bicho para tu colección.

(Apago la luz. Hace muchos, muchos años, yo y un grupo de amigos filmamos a un «gloria a Dios», dándole machos y moscas durante una tarde entera. Articulado, animal mecánico, abrazaba a las víctimas con las garras en pinza, empezando a devorarlas por la cabeza. Era una excavadora de cráneos, solo en un campo de cadáveres destrozados por donde pasaba un viento horrible; la voz de San Pablo, el acusado: «Fuerza demoníaca, tan amable, graciosa y tan voraz en la lujuria...» Y yo pensé en-

---

* El nombre de este insecto ortóptero es una denominación popular en portugués. Llamado así porque, cuando sorbe el néctar, pone las dos patas de delante juntas, como si rezara. *(N. del T.)*

tonces: yo que tú, Apóstol, iría siempre con un «gloria a Dios» hembra para ponerla de ejemplo. He aquí la muerte por el pecado...») Y ahora dirigiéndome a Tomás Manuel, que rema y extiende la vista por las orillas:

–*Mors post coitum,* la muerte por el pecado.

–Caray –dice él, y se ríe.

–*Mors post coitum.* Así fue como la muchacha de las uñas de plata mandó al viejo a mejor vida.

El Ingeniero se pone serio:

–Vaya, no hables de eso. Hace tiempo que no pienso en otra cosa.

–Y yo pienso en San Pablo. Me recuerdas a San Pablo cuando maldices a las mujeres.

–*Mujeres* –empieza él a cantar– *son la mayor alegría, la tentación más hermosa, del alma y del corazón...* –Deja de remar–. ¿No te importa pasar a proa?

Me levanto y, al pasar por encima del asiento, le doy una palmada en el hombro.

–Tomás, discípulo de Pablo.

–Deja de fastidiar. ¿Qué es esto? ¿Un pato muerto? –Se pone a remover el cadáver con el remo– Mira, un guerrero. ¿Por qué los guerreros tienen aspecto de inocencia después de muertos?

Y yo para impacientar:

–¿Y por qué tus levanta-culos tienen tanta dignidad? Tomás, si no te das prisa llegaremos de noche.

Entramos en un banco de arena que penetra bastante adentro en la laguna. Se le reconoce por la sombra oscura del lodo y por la altura de los juncos sumergidos a poca profundidad.

–Creo que nos estamos acercando demasiado –observo.

–Lo he hecho expresamente. Es bueno golpear las cañas, no sea que haya alguna zancuda herida.

Tomás Manuel conduce la barca a ras de la vegetación de las orillas.

–Mañana si veo al médico le contaré la historia de esa fulana –dice sin dejar de remar y de espaldas a mí. Tal vez ni ella misma sepa que mató al viejo.

–Te admira... –Y apenas digo estas palabras, me asalta una duda: ¿Y si ni ella ni nadie lo sabía? ¿Y si la Dama de las Uñas de Plata no era sino una de las muchas fábulas que inventaba el Ingeniero para hacerse el espabilado, hombre de mundo?

Si era así, tanto mejor para mí que, en mi despreocupación, estaba destinado a verme envuelto en un proceso a causa de ese personaje. Pero, Ingeniero, hasta le encuentro gracia. Lamento solamente que de aquí a unos meses –cuando el padre Novo sea molestado con el sórdido boletín del Deshonesto Escritor y de la Confiada Manicura– la muchacha de las Uñas de Plata haya bajado de categoría y que, en vez de boutiques en Cascais, frecuente barberías.

Dudo si preguntar: «¿En qué quedamos, Ingeniero? ¿Cuál de las dos es verdadera? ¿Ninguna?» Pero boca cerrada, por ahora me hago el desentendido. Dios Nuestro Señor me libre de traicionar alguna vez las confidencias de un sacerdote que, pobre, estaba en baja forma esta noche. Di, Ingeniero...

–Era la táctica de las dosis progresivas, como en los envenenamientos. Y el vejestorio cayó como un pajarito. Mira, le pasó exactamente lo que sucede con los machos de la codorniz.

–¿Otra vez la codorniz?

–Lo más bonito es que, desde el punto de vista jurídico, la fulana no tiene escapatoria –continúa diciendo Tomás Manuel–. Jurídicamente, cuando hay intención de matar, hay crimen.

Verdadera o falsa, la asesina de las Uñas de Plata era ahora una realidad, Tomás Manuel podría describirla después de diez años, que no cambiaría una coma. En eso es impresionante. Tiene una memoria astuta que ningún vino consigue ensombrecer. Pero de los eriales de las aves no se acuerda, eso es lo bueno. Golpeó la orilla con un remo y no se ve ninguna zancuda. Ninguna, Ingeniero.

–Es mejor que desistas.

–Sí, será mejor. Para empezar voy a preguntar al médico. Después ya sé yo la manera de ajustar las cuentas con ella.

Suelto una carcajada:

–Hablo de las zancudas, no de la fulana. Me parece que todas fueron evacuadas por los helicópteros de la Sociedad Protectora. –Y a continuación–: La fulana es un problema tuyo.

–Lo es. Déjame hablar con el médico y verás si pongo los puntos sobre las íes.

–*As you wish, dear Sherlock.* Si quieres jugar a detectives es cosa tuya.

–Muy interesante, jugar a los detectives. ¿No dicen que en cada portugués hay un policía escondido?

–Dos –corrijo yo–. Un policía y un viejo de Rastrillo que hace el papel de policía. Dentro de poco estaremos jugando al *Ojo Vivo.*

El Ingeniero va golpeando las cañas, pero más por pasatiempo que con esperanza de encontrar alguna cosa. En cierto momento da un golpe y deja caer los brazos.

–Estoy harto. Si me encuentro un whisky creeré que es mentira.

Bueno, tomo los remos. Dejando en paz a las aves y yendo en línea recta, llegamos en un momento al muelle que, al anochecer, sale de los tamariscos como una trampa lúgubre. Está hecho de planchas descoyuntadas y tiene una cierta semejanza con un muelle de piratas.

–Salta –digo a Tomás Manuel.

Y él, con las manos delante de la boca, como si diese un grito de abordaje:

–Whiiiisky...

Atamos la barca. Mi amigo levanta las fauces al cielo y vuelve a gritar:

–Whiiiisky...

–Es inútil, no te oyen.

–Ya lo sé –me responde. Pero repite–: Whiiiisky –Después me toma por el brazo y sube conmigo la vereda.

La maleza huele a musgo y a humedad, recuerdos de otoño y hongos silvestres. Nosotros subimos el monte y la bruma cierra el camino detrás de nuestros pasos. Sólo al volverme por casualidad veo el valle humeante de blancura y comprendo con qué rapidez e insinuación la neblina ha tomado posesión de la laguna.

–La niebla, Tomás. La laguna está cubierta de niebla.

Él no se da ni siquiera la vuelta, me lleva por el brazo casi a la fuerza.

–La niebla es lo de menos. No tiene la menor importancia. –Aprieta el paso–. Lo que importa es que las aguas estén tranquilas en el fondo.

–¿El agua?

–Mientras el fondo esté tranquilo –continúa diciendo, y me aprieta el brazo para que no lo interrumpa–, podemos ir confiados. Lo que interesa ahora es la altura. Sin duda. A esta hora no tenemos marea para desenterrar los peces.

Me quedo atónito, incapaz de creer lo que oigo. Pero es él, es el Ingeniero el que habla, y va con la cabeza inclinada, ojos en el andar, arrastrándome. «Aguas quietas... cambio de luna... Sin duda, sin duda.. ¿Qué día es hoy?» Y lo más extraño es que empezó a silbar por lo bajo, entre dientes. El sonido aumenta, se convierte en un trinado descosido que tiene un no sé qué de ansiedad, hasta de escarnio, de desafío. Ha parado. Ahora oigo palabras en voz baja:

–En el cambio de luna... de madrugada. Ah sí, de madrugada es cuando la altura está mejor. Exactamente en el momento de nacer el sol... –Otra vez el trinado; otra vez la pausa–. Tú te quedas en la barca mientras yo me zambullo. No nos podemos olvidar de la linterna submarina. –Más trinos.

Intento verle la cara: imposible. Tomás Manuel es sólo una sombra que se arrastra en la penumbra de la maleza. Recuerdo: «Los cementerios de los peces. Los sepultureros con escafandra a la luz de la luna». Él, entretanto sin fijarse en mí, va abriendo camino. Promete que esta vez libertaremos a los peces inmaculados que, la víspera, habían sido tocados por el guardarríos cuando estaba pescando anguilas; promete y sabe por qué: si todas las tentativas hasta ahora habían fallado por causa de las corrientes, el día tal, cambio de luna, sería la ocasión ideal para descubrirlos. Estaban allá frágiles y quebradizos. No podrían faltar, teníamos que dar con ellos. Guiados por el informe del guardarríos y con la ayuda de una linterna, veríamos en lo turbio y empezaríamos a arrancarlos del lodo con las debidas precauciones.

–La linterna es indispensable. Y el aire comprimido también. Espero que el Club Naval no tenga inconveniente para prestarnos el material.

Con paso lento va planeando la exploración de los cadáveres sumergidos, etapa por etapa, tomando en consideración el viento, las horas favorables y la precisión de los instrumentos. Desenterrar un cuerpo que a la mínima

brusquedad se deshace en los dedos es una tarea difícil
Pero nada era imposible, no tenía yo que desesperar.

–¡Whisky! –vuelve a gritar, muy contento.

La niebla rastrea los helechos, subiendo la cuesta, al
tiempo que, detrás, acurrucados en el fondo del valle, los
patos se quedan rascando el lodo con el pico, escribiendo
historias para dormir donde cada uno de ellos es como
un padre de familia y da consejos para el día siguiente. De
ésos, uno por lo menos está reservado para mí, esté donde esté. Claro. Se lo prometí esta noche al padre Novo y
sería vergonzoso que faltase. Y cerca de mi pato, en un
punto por determinar, están también los túmulos de los
peces hacia donde el Ingeniero dirige sus pensamientos,
otra vez silbando entre los dientes. Me refiero a Verga
Grande, allí es donde reposan los notables difuntos, cus-
todiados en la superficie por somormujos con pico de
aguja que reman, con la cabeza alerta, en sus nidos acuá-
ticos. Esto, en resumen, es la laguna. Se podría pulverizar
en un susurro de misterios. Y maldito silbido. Maldito insomnio también. Lord y Maruja nos salen al encuentro.
Tomás Manuel se dirige hacia mí, mientras les hace mimos para calmar la excitación con que le saltan.

–Sobre todo que no lo sepa María de las Mercedes.
¿Entendido? –Me callo, no sé qué debo responder–. ¿Entendido? –repite. Se endereza, da unos pasos–. No es por
nada, pero en estas cosas las mujeres traen mala suerte...

Y yo, con ganas de alegrar la conversación:

–Ya lo decía San Pablo.

–Es verdad. En cosas de misterio ellas no se meten.

De nuevo empieza la marcha entre la noche que baja el
cielo sobre la maleza y la niebla que se levanta de nuestros
pasos.

–¿Conque dan mala suerte? –digo yo con aire de burla.

–¿Sabías –pregunta él delante de mí –que en estos lugares las mujeres no pueden amasar el pan cuando están
menstruando?

–Dan mala suerte, ¿no?

–Ni amasar pan ni hacer vino. Y en las dos cosas hay
misterio. Pan y vino... Está en la Biblia.

Me quedo sin respuesta. Tomás Manuel deja pasar un
rato. Después:

–No te ha gustado, ¿verdad?

–¿El qué?

–La conversación de las mujeres que tienen menstruo.
Pero mira, como principio es perfecto. Es una manera
popular de imponer la higiene, como cualquier otra. –Sacude la cabeza, seguro que sonríe–. Da desconfianza todo
ese odio que vosotros tenéis a los misterios. Muy sospechoso. Pero que muy sospechoso.

Lo sigo, pisando nubes y sumergiéndome en ellas hasta las rodillas, y le pregunto por detrás: «*T'es mort,* Ingeniero? ¿Estás muerto, anfitrión del anochecer?»

A muchos kilómetros encima de nuestras cabezas tal
vez un astronauta acababa de salir de su cápsula metálica
y andaba, suelto, en el espacio, iluminado por torrentes
de estrellas.

«¿Y tú, Ingeniero? *T'es mort?*»

Me doy vuelta en la cama:

«Pudor. No se habla de los muertos por la espalda».

Veintisiete

Pero el Ingeniero no estaba muerto. Ni entonces cuando paseaba conmigo a la puesta del sol (con los bichos del suelo garrapateando debajo de nosotros), ni ahora, a estas horas de la noche, en un bar de la carretera.

¿En el bar, a estas horas? ¿Cuántos siglos hace que vino de allá el padre Novo? ¿Tiene algún sentido eso?, protestará mi hospedera en su cuarto al fondo del corredor.

Ah, todo tiene sentido en la aldea de la laguna. Aquí meridiano de Gafeira, N grados de longitud, N de latitud norte, el tiempo triunfa de otra manera, el amor cumple el luto oficial y todo tiene sentido, incluso un Ingeniero que vuelve al bar de su perdición (véase el proceso respectivo en los archivos de la G. N. R.) cargando la sombra muerta de un criado. Tomás Manuel ya nunca más se librará de ese espectro que tanto le costó moldear en vida y que a última hora se le escapó. Nunca, jamás. Y hoy, que Domingo está en la tierra de la verdad, la sombra ha vuelto y va a su lado como un tumor, como una curiosidad que uno exhibe de mala gana. Así lo vio el personal del puesto de la Shell cuando apareció en el bar, así lo vería el pregonero de la lotería dando escape a su satisfacción. Espectros y maldiciones son el plato fuerte del Viejo de un diente; por lo visto, también mi manera de hablar. Si me descuido le sigo la corriente.

Sin gota de sangre: Mañana, en la cena, le tocará al padre Novo poner las cartas sobre la mesa. Él puede como nadie –apártate, Viejo– describir la cara de los empleados de la estación de servicio cuando ayer, hace pocas horas, pero ya ayer, Tomás Manuel se sentó en el bar y se sirvió una botella de whisky.

–Sin gota de sangre –dirá–. Los desgraciados le miraban como quien ve un fantasma.

–Y no era para menos, padre. ¿Dijo el Ingeniero dónde vivía?

–Lo miraban como si llevase el fantasma de Domingo detrás.

–Malo... –digo entre dientes.

Y el padre Novo:

–¿Qué malo?

Los fantasmas. En esta tierra no se habla más que de fantasmas.

¡Pum! ¡Pum!: Fantasmas y borrachos son los productos de la región. Alguien grita en la calle, vamos, despejen. ¡Pum, pum! Huelen tanto a vino como el Ingeniero a whisky, sentados en el puesto de la Shell ante los empleados aterrados. Labradores y mozos de la gasolinera se han acostumbrado a verle en aquella mesa en compañía del mestizo que Dios se ha llevado. Él, fresco, Domingo, soñoliento, ambos regresaban de las veladas de Lisboa, infestados de vicio, como se les podía leer en la

cara. Pero sobre esto hablaré a solas con el padre Novo por encima de un pato bien tostado. Y buenas noches. ¿Quién dijo que un pato real pesa como una montaña de caramelos?

¿Y quién escribió esto?: «Qué panderetas, el silencio de este cuarto... Las paredes están en Andalucía... etc.». ¿Quién fue?

Pessoa, el obligacionista. Fernando Pessoa Seabra (1888-1938), el infeliz de la poesía nacional. Aunque no quiera citarlo, sus versos me suenan en el oído más caliente de la almohada y si no los sé de memoria (que no los sé) los tengo en la *Lluvia oblicua,* en el papel burgués de las ediciones Atica de Lisboa. Es cuestión de copiar:

...Qué panderetas / Etc., etc., / Las paredes están en Andalucía... / De repente todo el espacio se detiene. / Se detiene, resbala, se desenmaraña..., / y en un rincón del techo (que es de madera, pero eso no tiene importancia para el poema)... */ Etc., etc. / Hay ramos de violetas / Encima de mis ojos cerrados.*

Con los ojos cerrados: En la calle suenan pasos, voces destempladas. Son los borrachos retrasados que van hacia casa en vaivenes heroicos y saludan a Gafeira, al país, a la humanidad.

–¡Pum!

–Pólvora en el islote grande. ¡Pum!

–¡Pum! Pólvora a él. ¡Pum!

–¡Oh, ay, oh linda!... me voy de aquí a mi amor, me voy de aquí a mi amor, pum-pum-pum, pararapapá.

Los minutos corren «en el silencio de este cuarto sobre mis ojos cerrados»; entretanto, allá lejos, en la anchura de la noche, un borracho mea hacia el aire. Ingeniero, mi

Palma Bravo de siete suelas, ¡en qué estado te presentarás a casa! Y él se echa hacia atrás y lanza un chorrito de orina en dirección de las estrellas.

–Ven acá, escritor de pacotilla. A ver quién es capaz de mear más alto.

Sangra por todos lados, está negro de tantos golpes. Salió del bar de la estación de servicio hace ciento sesenta días bien contados (en la célebre noche del 13 de mayo, no hoy), y no piensa que María de las Mercedes lo está ya vigilando desde la tierra de la verdad.

También Domingo, horas antes, había entregado su alma al Creador, otra cosa que el Ingeniero ignora todavía. Pero la entregó, estaba muerto. Como dijo María de las Mercedes, una vez delante de mí: «Tomás acabó en esas veladas con la salud del muchacho», y si ella se preocupaba, lo hacía con disimulo. Había tenido una entrevista con el criado, se supone que tuvo varias, todo induce a creerlo, y se informó punto por punto de los cafés y de los bares de los muelles de Sodré donde el Ingeniero iba para perderlo.

Tantas aventuras, vino y mujeres cansaban al criado, como podían atestiguarlo los del puesto de la Shell que lo vieron, madrugadas enteras, sentado en el bar al lado de Tomás Manuel, lívido y pestañeando, y llevando trajes de buen corte que habían sido del patrón. Llegaba deshecho, humillado porque –me lo confirmó el padre Novo– era un individuo orgulloso, aunque no lo parecía. Las aventuras lo humillaban, estaba harto.

–Júralo –le exigió María de las Mercedes, muy interesada.

Y Domingo:

–Lo juro, señora. Que pierda si no este brazo.

–¡Oh, cállate! –suspiró ella horrorizada.

–Me quede ciego, señora. Preferiría mil veces quedarme en casa...

–He dicho que te calles.

–Un tipo repugnante –observaría el marido a solas con ella–. Lo llevo a Lisboa, le dejo hacer lo que quiera, le doy dinero... Nada.

–¿Nada?

–Nada. Huye de las chicas. Tiene el complejo del brazo o ve a saber.

–Ellas, también, deben ser detestables...

–Depende de la suerte, y no te creas que son fulanas cualesquiera. Sólo me faltaba eso, tener un criado...

María de las Mercedes le tapa la boca con la mano, no le deja acabar:

–¡Tomás!, pobre muchacho.

Ríen los dos.

Las carcajadas saltan entre la vegetación, mezcladas con ruidos de ramas que se rompen y con pasos sobre el follaje podrido. Llegan del fondo del valle y entonces, en medio del cañaveral, aparecen Tomás y María de las Mercedes, dadas las manos, él delante y ella detrás, saltando charcos, espantando ranas y riendo. Hay una gota de sangre en el cuello de la joven, un pequeño rasguño que el marido acaba de descubrir.

–¿Qué es? –pregunta ella, parada.

–Un arañazo. –Le enseña la mancha de sangre que quedó en el pañuelo–. Vamos a lavarlo, ¿quieres?

Se sientan en la punta del muelle, con las piernas colgando sobre las aguas quietas. Debajo de ellos hay una agitación pintoresca de vida elemental: arañas que corren sobre gruesos hilos de estaca a estaca, un sapo desconfiado escondido en el color del lodo y los llamados sastres que patinan por la superficie montados en sus largas piernas. Son helicópteros vivos, exactamente. Helicópteros delicadísimos que se cuelgan en el aire moviendo las frágiles y relucientes alas y que se deslizan a flor de agua con la suavidad de un grano de polvo.

–¿Cuándo nos casamos? –dice la joven lentamente–. Tú te has hartado de hablarme de los baños de media noche.

–¿Con este tiempo?

–No sé. Dicen que es cuando el agua está mejor. Y tú me lo prometiste. Palabra de rey no puede fallar.

–Sí, reina –dice Tomás Manuel. Le besa la mano–. De acuerdo, reina. Hoy, a medianoche, ceremonia en la laguna.

–¿Desnudos?

El marido le responde con un rechinar de dientes, como si estuviera helado de frío.

Ella se ríe:

–Claro, desnudos. Así es como tiene gracia.

–¿Sí? ¿Y los guardarríos?

–No quiero saber nada de los guardarríos.

–¿Y la pulmonía?

–Excusas, Tomás. ¿No me dijiste que estas aguas son milagrosas?

–Lo son –responde él–. Mira, ya no tienes nada en el cuello.

Veintiocho

Se gastaron ríos de saliva (y horas de insomnio, como puede verse) discutiendo sobre qué habría hecho o dejado de hacer Tomás Manuel la última noche de la laguna. Se habló de un encuentro con el médico a las cinco de la mañana, mientras que, según mi hospedera, a las cinco de la mañana el médico estaba atendiendo a una criada sinvergüenza que iba a morir de aborto en esta pensión. Se dijo también que había huido a Lisboa buscando a María de las Mercedes y que en el camino atropelló a un rebaño de peregrinos que hacían la marcha anual al santuario de Fátima. Falso también. A las cinco y media en punto, hora que llegaron los bomberos de la ciudad, él ya estaba buscando el cadáver en la laguna.

Chismes de pueblo que donde no ve pone oído, me confía la hospedera de la boca de pétalos. Más concretamente:

–Yo, señor escritor, no estaba presente, no lo presencié. Pero el suceso pasó a boca del pueblo y cuando esto pasa ni Dios hace callar a los mudos… –Y esto es todo lo que se puede sacar de una mujer deseosa de paz y de respeto en su cama de soledad.

Aniñas, su amiga íntima, tampoco chismorrea. Vio al Ingeniero cuando volvía a casa después de la pelea en el puesto de gasolina, pero ahora vive en la ciudad con su marido, y lo que pasó, pasó. Lo ha olvidado. Lo que todavía no consigo entender es cómo una vieja tan esmirriada pudo cargar a Tomás Manuel, hinchado por el vino y los golpes. Dentro de casa, en fin, siempre hay paredes donde puede uno apoyarse, pero atravesar el patio con un fardo como aquél es una proeza. Me imagino a Aniñas, hormiga de vientre abultado, luchando con el grano gigante. Con la práctica que tenía de luchar con su marido tullido, llevó al patrón desde el coche a la cocina, le lavó la cara y le puso esparadrapo. ¿Habría sucedido así?

Silencio. Aquí, en la pensión, y en la casa de la laguna, todo duerme. La vieja lloriquea con sordina, no se atreve a despertar a la patrona. Cada vez que le llega un aullido del fondo del valle, se encoge y refunfuña: «Malditos perros».

Hace rato que el Lord y la Maruja están inquietos. La han despertado poco antes de llegar el Ingeniero, y ella, asustada, fue corriendo al cuarto de Domingo. Nadie. Fue a la perrera, la encontró vacía. El criado estaba en la laguna persiguiendo algún pescador furtivo y, como de costumbre, se llevó los perros. Malditos. Sus dentelladas son salvajes, como me dijo el vendedor de lotería.

–Cuidado, niño... Yo te ayudo.

Tomás Manuel rechaza la protección. Embrutecido se mete por el corredor bamboleándose de pared a pared; encontronazo a la izquierda, encontronazo a la derecha, llega a la escalera interior. Pausa. De pie, agarrado a la baranda, se queda cabeceando. Una vez aquí lo mismo puede haberse quedado sentado en un escalón como haber subido en un arranque las escaleras y parar solamente arriba, aturdido. Primera etapa. Otra pausa.

Bien, del rellano en adelante conozco el camino. A la izquierda está el cuarto de los huéspedes, a la derecha el cuarto de planchar; después está el pasillo (en arco) que da al hall, y está delante del estudio; a un lado el gabinete de Tomás Manuel, al otro el cuarto de dormir. ¿Cuánto tiempo habrá tardado en hacer este camino?

Con la luz apagada y los ojos cerrados, se fue desprendiendo de la ropa. En la cocina había dejado la chaqueta, en el rellano los zapatos y, colgado en la baranda, el cinturón. Se quedó bamboleándose a la puerta del cuarto (admitamos que esperaba que le pasase el hipo; o conteniendo el vómito; o porque decidió desnudarse allí mismo), si, por el contrario, entró en seguida como siempre y cayó encima de la cama, nadie lo sabe. Lo que se sabe es que se acostó con la luz apagada –es la opinión general (y es lo que manda la lógica de los hechos)– y en cuanto al resto mi hospedera vuelve la cara a un lado. La decencia no le permite traspasar las intimidades de una cama de matrimonio.

Pero, quiéralo o no, la naturaleza tiene sus impulsos. El Ingeniero se acerca a la mujer. Está solo y derrotado, necesita un tronco donde agarrarse. La mano soñolienta se equivoca, «busca los senos» –relato del Viejo– y se pierde en una maraña suave: pelos. La mano se desvía hacia el hombro, acelera, recorre el brazo, y el brazo, inesperadamente, no acaba: no está completo, es un muñón. Entonces la mano salta sobre el candelero y, rápido como un relámpago, Tomás Manuel, herido por la luz, abre los ojos de par en par. En vez de María de las Mercedes tenía en la cama el cadáver del criado.

Veintinueve

Debo de haberme adormecido, no mucho tiempo, lo suficiente para distinguir en la oscuridad la mancha gris de la ventana. ¿Serán las cuatro? ¿Enciendo la luz y leo, o acabo la cantimplora y todos los opios del insomnio, o me quedo aquí, tendido, esperando el cantar de los pájaros de la madrugada? Pájaro Madrugador I, pequeño satélite amigo de la tierra, ése sí que nunca duerme ni pierde el tiempo. Cinco... cuatro... tres... dos... uno... cero. Conozco este código desde niño, cuando en los bailes al aire libre el vocalista de la orquesta probaba el micrófono. ¿Aló? ¿Aló? Cinco... cuatro... tres...

Se acerca un automóvil, pasa por la calle y sigue en dirección a los montes. ¿Los primeros cazadores ya?

«Visitez la Gafeira»: Pero no tan pronto, por favor. Antes de las seis, seis y media, es de noche. Y después del alba la niebla no desaparece en seguida. Nada de precipitaciones. De todas maneras, si en el automóvil vienen cazadores leales y no los salteadores que todas las vísperas de inauguración hacen una batida nocturna en la laguna,

que sean bienvenidos. Welcome, escopetas madrugado-
ras. Willkommen! Tervetuola! Sean bienvenidos, como
manda la buena educación de las agencias de viajes. Y de-
seamos que el saludo esté en letras grandes, acogedoras.
Welcome...

Un cartel, ¿por qué no?: Si hubiese una fotografía de la lagartija, y un pañuelo rojo, sería magnífico. Tendríamos el
cartel ideal, amigo Regidor: la lagartija, astilla viva, resto
milenario, pardusco, sobre un fondo radiante de sangre.
Setenta por uno veinte (70 × 120) impreso a todo color,
off-set. Incluso propongo que se le añada la célebre leyenda de la anécdota: «VISITE GAFEIRA MIENTRAS EXISTE».

No, lo pienso mejor. Como eslogan es desastroso.
Como son desastrosos casi todos los eslóganes en nuestra
lengua. Me duele decir esto porque sé muy bien lo que sufren los encargados de hacer frases para el consumo del
mercado, y también porque no quiero ofender a los in-
cansables catalogadores del portugués legítimo. Nunca,
Regidor. Poseemos un valioso tesoro que, si Dios nos da
vida y salud, hemos de conservar intacto, porque la lengua patria que hemos heredado es, como sabemos, una
de las más ricas del mundo. Está llena de bengalas por
dentro y cargada de excesivas palabras.

También mi almohada está cargada, pero de recuerdos.
Demasiados recuerdos...

Treinta

Las voces se cruzan en la cabecera del criado muerto en plena prueba de amor, llegadas de los sitios más increíbles.

–Los perros son el remordimiento de los dueños...

–*Oh, ay, oh linda... La-lari... Oh, ay, oh linda...*

–No soy, señor escritor, persona chismosa...

–Levanta-culos, ¿dónde puse la escopeta?

La noche se arrastra en una velada de recuerdos.

–Colapso cardíaco –informa el Regidor aparte.

–Colapso, ¿qué? –acomete el diente del Viejo, más bravo que nunca.

–Cardíaco. Murió de un colapso, lo ha dicho el doctor.

Y el diente:

–Colapso era el cabrón de su padre.

–Respeto, hombre de Dios –interviene la dueña de la pensión–. No haga caso, señor escritor.

Pero el diente salta por encima de mi almohada y del cadáver de Domingo. Nadie lo detiene:

–Clavó el instrumento en el vientre de la Infanta. Le sucedió lo que les sucede a los perros. *Oh, ay, oh linda; perro cojo, perro cojo...*

–Jesús, lengua viperina...

–...Perro cojo, perro cojo, tralalá. Y se quedaron los dos pegados, se quedaron los dos pegados, tralalá. Como los perros en su trabajito, *Oh, ay, oh linda,* como los perros en su trabajito. Murió con el palo tieso, como los perros en su trabajito...

–Más consideración con el sueño de los otros –gruñe el Regidor allá en la plazuela.

Aquí, al lado, en los cuartos de este corredor, descansan varios cazadores que esperan, como yo, la batida de la madrugada, algunos lamentan, yo también, que la masacre tenga que hacerse a honra (¿honra?) y gloria (¿gloria?) de la laguna. Veremos. Dentro de cuatro o cinco horas nos encontraremos todos. Nosotros, los Noventa y Ocho, y los forasteros que están en camino en coches con la radio puesta y barca sobre la capota.

Pero por ahora, en este mesón la hermandad de los cazadores duerme, que es lo que importa. En cada cuarto hay una escopeta en el colgador, llaves labradas, miras sensibles, cureñas blandas y de noble resplandor. De madrugada invadiremos la laguna con uniforme: botas hasta las rodillas, los amables cockers dorados resplandeciendo en la claridad indecisa y haciendo ondular el cañaveral donde se esconde la línea de los tiradores. Y tampoco faltará una mañana serena para ayudarnos. Desaparecerán los restos de neblina, no sé el tiempo que hará, pero ciertamente no habrá lluvia ni tempestad. Al diablo con las tempestades que obligan a cazar a alturas desmesuradas y destruyen la última esperanza de encontrar un ala errante de garza o un impecable cuello de ganso. ¿A quién le hace ilusión un vuelo de ganso que navegue a más de mil metros de altura? Al cuerno con el ganso asustado, ese astronauta.

Sin mal tiempo, como todo indica, la laguna despertará suavemente. Los chopos, antes de ser chopos, serán manchas que gotean rocío, las juncias despuntarán en colonias de astas decididas, rasgando la niebla que baila en la superficie de las aguas, y que se hace encaje, misterio. En un abrir y cerrar de ojos se rompe el encanto. En el islote, en medio de la laguna, se dibujan las zancudas. Parecen un ejército acampado en una isla.

¿Por qué no huirán cuando la flota de cazadores avanza hacia ellos? Una línea de escopetas se mueve en silencio y los pájaros negros, taciturnos, esperan. Están juntos como cuando duermen, y las barcas se deslizan, se deslizan: Miren lo que pasa cuando suena el primer disparo. Acto seguido la fusilería abre fuego sobre una cortina de alas que explota y se levanta en el arenal en todas direcciones ametrallada por un rumor de escopetas. Asustadas, las zancudas cruzan por encima de la laguna; sale fuego de todas las embarcaciones, desde la orilla les cortan la retirada, y ellas caen de arriba, unas veces como si viniesen a amarar –y ésta es la muerte hermosa de una zancuda: corriendo a la claridad del agua abriendo equilibradas las alas y dejando caer el cuello por fin en la corriente–, otras, inmediatamente destrozadas, caen verticales.

Siento a la laguna ebria, oliendo a pólvora. Multitud de cartuchos quemados navegan a la deriva y por todas partes se deslizan cazadores-piratas que reman descaradamente para apoderarse de las piezas que otros han derribado.

Peores que ésos, digo a mi almohada, son los falsos ingenuos que disparan a las que ya han sido heridas. Cada día respeto más a los humildes tiradores de la orilla que son cautelosos y de puntería inmediata, cada tiro un problema.

En todo caso, este año habrá menos cazadores en la orilla porque el tiempo (se dice que la lagartija ha despertado) ha dado un salto. Noventa y Ocho escopetas de Gafeira adornarán este año la laguna con toda libertad, dando un nuevo brillo a aquella fusilería, una vez que, ahorradores como son y conocedores del terreno y de las costumbres de las aves, ciertamente calmarán a los intrusos sanguinarios. Por la tarde los tendremos allí, celebrando el acto de posesión de la laguna, corriendo en la maleza con el suelo alfombrado de plumas. En las hogueras hierven cazos con zancudas, llegan carrozas con flores trayendo vino, transistores y concertinas; la romería de cazadores crece, canta y baila.

–*Oh, ay, oh linda. Me voy en busca de mi amor...*

Pero hace mucho rato que pasó el último borracho por la calle, llevando consigo el canto y las amenazas de la laguna. Se fue a encoger a algún rincón, en su casa, en un tejado, donde le venga en gana, y apuesto a que ronca a pierna suelta. Que ronque, que se harte, porque felizmente no tiene unos ronquidos que hagan temblar las paredes. Estoy seguro de que molesta mucho menos que el silencio que reina en este momento en la laguna.

Debe de dar miedo la laguna.

Treinta y uno

Alguien ronca. No en el infinito, no en un inocente tejado al aire libre, sino en el cuarto de al lado: un cazador. Ronca en paz y con generosidad. No tiene el vicio de descifrar personas y casos, no alimenta el tan nombrado «diablo interior» del que se enorgullecen, por regla general, los hurones de la literatura. No se implica, duerme; ¿qué más puede ambicionar? Así, es un cazador, en estado de inocencia, precioso don. Un huésped dirigiendo el descanso de otros huéspedes que sueñan, como él, en la laguna. Probablemente ya se ven todos atravesándola...

Sueño amplio, profundo; movimiento del mar bajo los jergones anclados a lo largo de un corredor. Y los cazadores de la pensión, envueltos en las olas, se pierden en un esplendor de niebla. No ven agua ni orilla, bogan sobre la blancura que cubre la laguna y que hace de ella una llanura de humos, y todos alineados en una flota de colchones invencibles se acercan al océano que respira tranquilamente sobre un lecho de arena detrás de las dunas de estuco y tabique.

Tengo el presentimiento de que hay alguien encubierto en aquella inundación de bruma. Alguien apostado en el arenal, vigilando. Sólo a la claridad del alba (que apenas se puede leer todavía en los cristales de la ventana) puedo saber si estoy o no equivocado, pero ya ahora me arriesgo a decir un nombre: Tomás Manuel. Y es él, suspiro. Allá volvemos nosotros.

Doy vuelta a la almohada. Da calor, es inútil cambiar de posición, apartar el pensamiento, cuando los caballos del insomnio se apoderan de nosotros. Galopan, revolotean encima de abismos y nos arrojan infaliblemente al pozo de la tentación (que es la laguna, claro, la laguna, la laguna, la insensible laguna) y tenemos un presentimiento, una sombra que, al levantar la madrugada, tan pronto toma forma humana como sugiere la figura de un monte de paja que se pudre. La humedad se desliza por debajo de él, el bulto sigue vigilando, impreciso. Pero es él, el Ingeniero, no hay duda. Debe de estar aterido de frío.

Con la bata echada sobre los hombros (por lo menos así me lo imagino), la camisa ensangrentada y los zapatos sin calcetines. Sujeta a los perros por el collar, uno en cada mano. Los tres forman un cuerpo único, un escollo sombrío de cara al brazo de pantano que se llevó a María de las Mercedes y de donde sale un frágil gemido que tiembla por el valle.

–Morir ahogada... ¡Qué disgusto, qué desgracia...!

La señora de la laguna quedó prisionera por los pies en el lodo del fondo, tiesa, inclinada hacia delante como si estuviera andando por debajo del agua y se hubiese detenido de repente. Sus cabellos ondulan en la corriente y, encima, a poca altura, vuela una bandada de pájaros, siempre los mismos.

Somormujos, verifico con sorpresa. Aquéllos son los somormujos de los que hablaba el Ingeniero, y el fulgor que irradia el cadáver es del nylon del camisón. Atención:

suelta chispas, la electricidad del nylon. Lo mejor será señalar este punto del mapa del Automóvil Club para avisar
a los cazadores que duermen. Tracemos una cruz, doctor
Abad: «*Requiem aeternam dona eis, Domine...*»

Procuro localizar la Urdiceira en los confines del pantano. Desde la casa hasta las dunas hay pedazos de ropa
colgados en los tojos y en las ramas, banderas de seda y de
encaje que conmemoran el camino de María de las Mercedes. Los sigo. A cien metros del patio dejó el pañuelo
con sangre, fue la primera caída; en la salida de una valla
aparece el rastro de un cuerpo, tierra arañada, helechos
rotos –¿se habría arrodillado aquí por segunda vez?–;
más adelante un manojo de zarzas se le enredó en las
piernas y le arrancó un pedazo de camisa; en los espinos
de las acacias perdió los encajes, en los tamariscos se
cortó los pies; una rama de eucalipto la abofeteó al pasar y se quedó con un lazo de seda agitado por el viento
como una victoria. De rasguño en rasguño, fue a parar
a la hilera de dunas que separa la laguna del océano, allí
donde desemboca un camino hecho por las carretas de
bueyes que vienen a cargar arena para una fábrica de la-
drillos. Es sólo una senda, no llega a ser camino. Nace en
medio de la cuesta, en unas barracas cubiertas de polvo
y cemento, baja por la vertiente salpicada de boñigos y
de pequeñeces de cabra y entra en el agua por un prado
de juncos sumergidos. Urdiceira, punto final. Se oye el
mar.

Cuando el cuerpo fue descubierto, hora de nacer el sol
(«cuando la gente que trabajaba en la ciudad interrumpió
el viaje para tomar parte en la búsqueda», palabras del
Regidor) la laguna estaría cubierta por un cielo oscuro.
Sería el despertar habitual de aquellos parajes; con las
cumbres de las dunas recortadas en el horizonte y una sá-

bana de nubes extendida de orilla a orilla, agujereada por las astas de los juncos.

Pero en un rincón olvidado un pato dio el grito de alarma: ¡coin!, ¡coin! De los nidos más próximos salen cuellos. Silencio, hora de confirmación. El pato, vigilante, corre sobre la línea del agua para ganar altura, vuela por encima del arenal y repite el aviso a la comunidad: ¡coin!, ¡coin! Entonces las aves soñolientas se apartan hacia los islotes del lago. A este lado, en el extremo del matorral, decenas de bicicletas («más de treinta», según los cálculos del Regidor) están tendidas en el suelo y al lado de cada una hay un hombre de pie. Nadie tiene boca, sólo ojos. Entre ellos, que son una cortina de nervios enfrentando a la laguna, y las canoas que surcan las tinieblas blancas, se yergue la figura del Ingeniero rodeado por dos guardias a caballo.

El pato se ha callado. Chap..., hacen las barcas al avanzar. Chap...

Tomás Manuel sujeta los perros con mano dura, los tiene muy junto a él. Tiemblan los tres pegados al suelo. Dos mastines y un hombre que enciende un cigarro detrás de otro y que muestra a las dunas un rostro deshecho, una máscara de esparadrapo y de manchas que salen de un montón de ropa sucia de barro y andrajosa. (Es barro, lo estoy viendo. Pantalones, canillas, zapatos con una corteza gris y pesada, la famosa «masa de la laguna compuesta de lodo y baba de pez» que la *Monografía* pregona como remedio de los antiguos contra las llagas de la lepra. Y como materia de lujuria. Si no me falla la memoria con este mismo barro las ociosas romanas hacían sus máscaras de belleza. ¿O es que estoy confundido?)

Chap... Las barcas siguen. Bata goteando, camisa ensangrentada, el Ingeniero parece un salteador escoltado por dos guardias a caballo. Chap... chap...

En un momento dado los bultos deshilachados de las barcas convergen en un punto distante desde todas las direcciones. Los perros se agitan pero el dueño los hace callar de un violento estirón y aprieta los dientes. «La encontraron», concluyen los ciclistas, y también se dominan porque todo pasa todavía en el secreto de la neblina. Pero se imaginan ellos que, a unas decenas de metros, un bombero de la ciudad ya se inclina sobre las aguas y apartando el vaho, como al asomarse a la boca de una cisterna, sostiene entre los dedos una mancha de cabellos.

Llegan más embarcaciones, forman un círculo, y hay en todo un no sé qué de ceremonia, una conspiración de la madrugada puesta en movimiento por investigadores que se han reunido alrededor de un enigma. Lentamente, con suavidad, el círculo se va cerrando y de aquella guirnalda de manos empieza a asomarse el cuerpo de María de las Mercedes. (No tiene nada de la serenidad que anunciaba la leyenda, pero tampoco estaba morado e hinchado como lo verá el médico en la autopsia.)

Lord y Maruja han empezado a gemir; se levantan, se retuercen. Los caballos sacuden la cabeza y parece que quieren retroceder al sentir el cortejo de embarcaciones que se acerca. Poco a poco las proas sombrías rompen la neblina y la embarcación capitana toca tierra con su terrible trofeo.

Entonces el Ingeniero se estira cuan largo es, como si acabase de recibir una puñalada en la espalda, y se abre en rugidos que estremecen el valle:

−¡Entierren esa cabra! ¡Entierren esa cabra!

Treinta y dos

En el piso de abajo, en el cuarto de la dueña de la pensión, suena un despertador. Es la señal para que la mimosa montaña de senos se revuelva entre sábanas y piense en nosotros, cazadores a su cuidado. La necesitamos, yo especialmente, que ya distingo los contornos del aguamanil, la mesa y el marco de la ventana por donde, muy pronto, entrará la claridad del amanecer. Gris sobre negro. Cansancio y una cantimplora vacía. Y la escopeta y la cartuchera colgadas en la puerta. ¿Para qué? ¿De qué sirve una buena y rápida escopeta cuando se dispara sin firmeza después de una noche sin dormir?

De nada, respondo, desperezando el cuerpo cansado. Confrontar recuerdos sobre una almohada no aprovecha a nadie y es más ridículo que un levanta-culo jugando a las prendas. Absolutamente. O, mejor, *positivamente*, Ingeniero de mis insomnios: sin duda. Sólo yo caería en esta trampa la víspera de inaugurar la temporada de caza. ¿Y ahora? Ahora, previendo lo que será la batida y la masacre de los impacientes en que casi siempre degenera, la prudencia aconseja desistir. Un día en baja forma pesa

sobre los siguientes; eso es lo malo. Después, para conso-
larme, pienso que este año es especial y todo ha cambiado
en Gafeira. Lo que cuenta es el festín de las anguilas y, a
media tarde, la romería de los Noventa y Ocho, con cazos
de guiso de cebolla crepitando al aire libre, vino y música. Vale más esto que una banda de zancudas con cresta,
suponiendo que haya todavía bichos de esta clase sobre la
faz de la tierra y que no quedaron sepultados en los ma-
nuales.

Decidido, a la romería no faltaré, cueste lo que cueste.
Y al atardecer, cuando se ponga en lo alto del pinar la ten-
tadora corona de nube, no abriré mi cuaderno de apuntes, y menos la *Monografía*. Ha sido un escarmiento. La
próxima vez procuraré escoger otra lectura, si puede ser,
un canto de alegría. Un libro actual que no lleve la lagartija en la portada como un ex-libris o como una pluma
puesta sobre el granito.

De esta manera, el Autor se despide de un compañero de
veladas y de una Ofelia local, de un diente excomulgador
y de mastines e ideas negras que custodiaron su cabecera
la víspera del día de Todos los Santos y de todos los cazadores, el día primero del mes de noviembre de mil nove-
cientos sesenta y seis. Piensa en la mañana y espera.
Espera. Espera el sueño. El sueño. Sueño...

Índice

E. M. Forster

Pasaje a la India

L 5501

La importancia y sentido de PASAJE A LA INDIA no se reducen en modo alguno a la simple denuncia de los estragos causados por el imperialismo británico en el subcontinente indio, sino que E. M. FORSTER lleva a cabo en ella la trasposición poética del enfrentamiento de dos mundos opuestos, Oriente y Occidente; de dos actitudes mentales, la intuitiva y la lógica; de dos principios reducidos a norma de conducta, la estética y el pragmatismo. Un conjunto de oposiciones aglutinado por la poesía y el humor y sobre el que planea, a lo largo de toda la novela, la imposibilidad de comunicación de dos seres unidos por la amistad o el amor.

William Golding

El Señor de las Moscas

L 5503

Fábula moral acerca de la condición humana, EL
SEÑOR DE LAS MOSCAS es además un prodi-
gioso relato literario susceptible de lecturas diversas y aun opuestas. Si para unos la parábola que
WILLIAM GOLDING estructura en torno a la
situación límite de una treintena de muchachos
solos en una isla desierta representa una ilustra-
ción de las tesis que sitúan la agresividad criminal
entre los instintos básicos del hombre, para otros
constituye una requisitoria moral contra una educación represiva que no hace sino preparar futuras
explosiones de barbarie cuando los controles se
relajan.

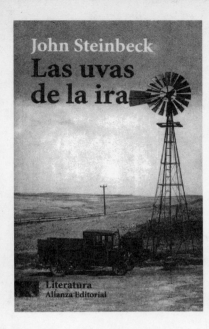

John Steinbeck

Las uvas
de la ira

L 5504

Premio Nobel de Literatura en 1962, JOHN STEINBECK (1902-1968) fue testigo directo de la Depresión económica que, originada por el crack bursátil de 1929, azotó durante la década de los años treinta a los Estados Unidos. Publicada en 1939 y objeto de varias versiones cinematográficas –entre ellas un memorable film de John Ford–, LAS UVAS DE LA IRA relata en una narración que alcanza por momentos cotas épicas la emigración que, desde una inhabitable Oklahoma, lleva a cabo la familia Joad junto a miles de personas más hacia la tierra de promisión que parece California. A lo largo del camino, sin embargo, este ejército de desposeídos comprobará la frágil consistencia de un "sueño americano" que progresiva e inevitablemente acabará desvaneciéndose.